レンズくんと行く工場ツアー
すごい！品質検査

うえたに夫婦

スンスン
ゴクリ
ウィー カシャ
ウィー カシャ
ウィー カシャ
ウィー カシャ
ジー
ブン
ブン
ブン
ブン
スッ
スッ
スッ
スッ
ジー
スススススス
スタ
スタ

PHP研究所

はじめに

みなさん
はじめまして
ボクは
接眼レンズ
でーす
対物レンズです

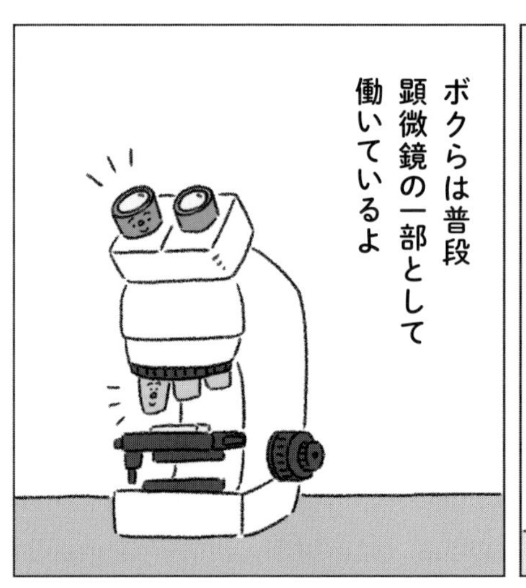
ボクらは普段
顕微鏡の一部として
働いているよ

顕微鏡って、いろんな
場面で使われるんだけど
理科実験
ミジンコを
観たり
研究開発
細胞の
観察など…
その中でも
今回注目するのが…

品質検査!!

品質検査とは…
「製造した製品の品質に
問題がないかを確認すること」
…というと単純に聞こえるかも
しれないけど奥が深いんだ

ジー
ピピピ
ピピピ
くりっ
くりっ
くりっ

「味・香り・感触」など人の五感を
使ったものから、「1万分の1㎜の
精度」「10万回くり返す」などの
機械を使ったものまで、
いろんな方法を用いた検査が
行われているんだ

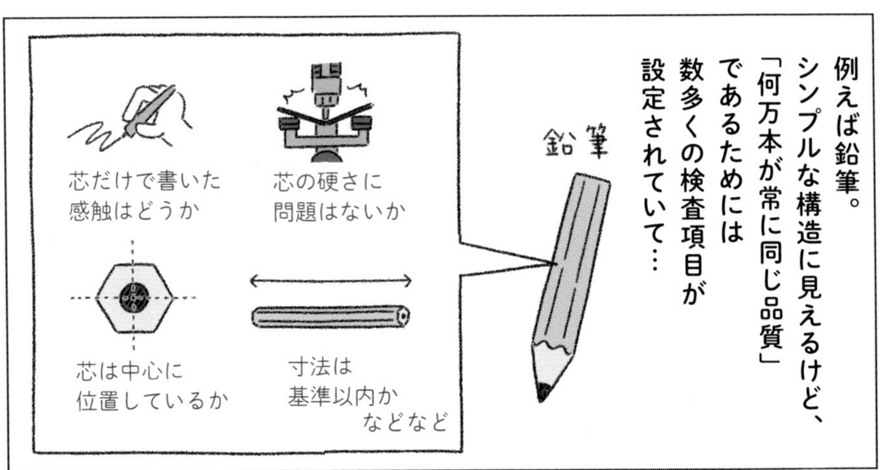
例えば鉛筆。
シンプルな構造に見えるけど、
「何万本が常に同じ品質」
であるためには
数多くの検査項目が
設定されていて…
鉛筆
芯の硬さに
問題はないか
芯だけで書いた
感触はどうか
寸法は
基準以内か
芯は中心に
位置しているか
などなど

それらの検査をすべて
クリアして初めて
出荷できるんだよね
合格や!!
いってこーい
おっしゃー

世の中にある
たくさんの製品が
「いつも同じ」
であるためには
こうした多くの検査…
知恵や工夫があるんだよ

…そこで、今回
ボクらが
10個の製品の
品質検査について
取材してきたから
それを紹介するね
品質検査って
マニアックだけど
おもしろいよ～

ササササ
ぐっぐっ

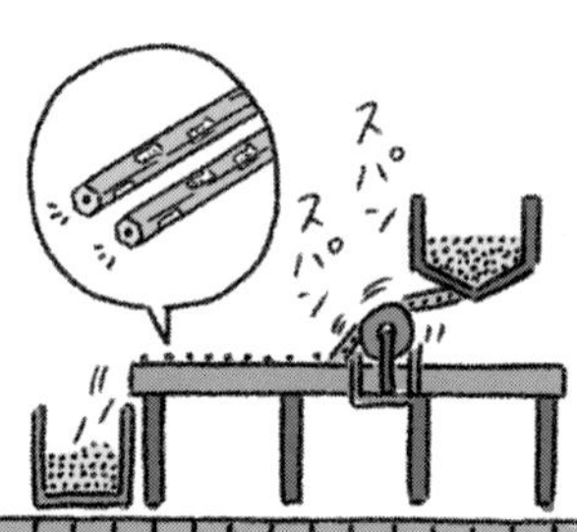

スパン
スパン

CONTENTS

すごい！
品質検査

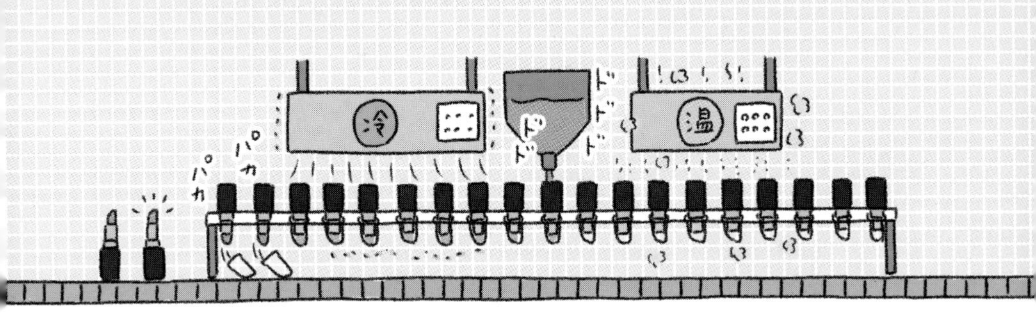

パカ
パカ
冷
ドドド
ドドド
温

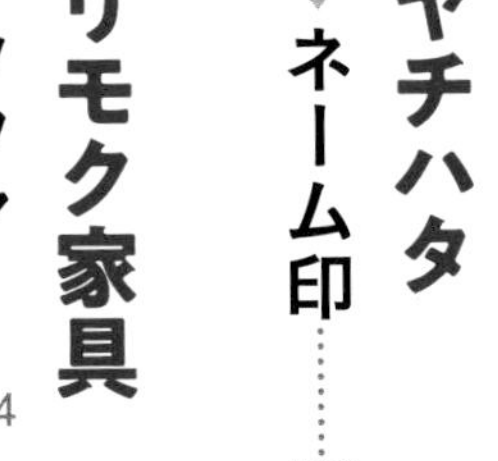

カシャッ
ピピピピ
ドドドドドド

この本の見方

本書では製品の検査だけでなく、製造工程もわかるようになっています。
工程の中でどんな検査が行われていて、
いかにして高い品質の製品が作られるかをご紹介します。

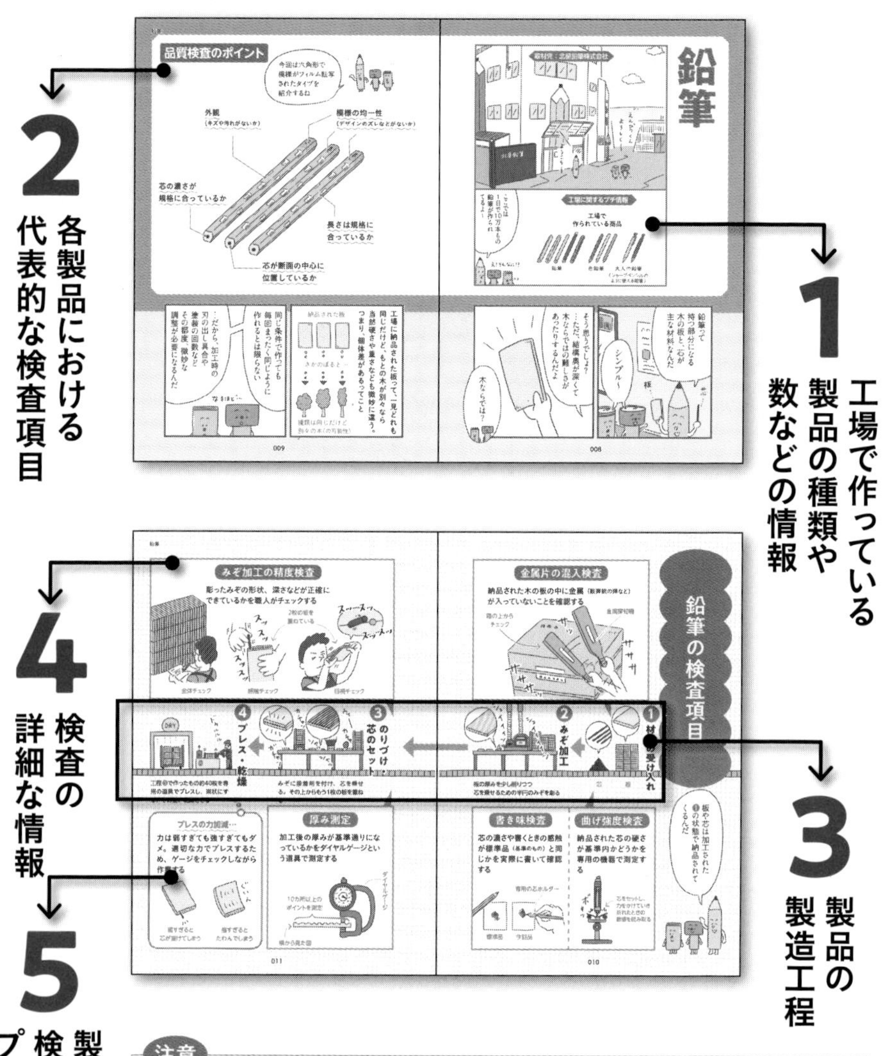
1
工場で作っている製品の種類や数などの情報
2
各製品における代表的な検査項目
3
製品の製造工程
4
検査の詳細な情報
5
製造工程や検査に関するプチ情報

注意

＊すべての検査項目が記載されているわけではありません。
＊製造工程や検査に関する内容は取材時（2018年11月～2020年１月）のものであり、現在とは異なっている可能性があります。
＊製造工程や検査に関する内容は企業によっても異なります。

北星鉛筆

● 鉛筆

鉛筆

取材先：北星鉛筆株式会社

北星鉛筆

ようこそ〜

えんぴつくん よろしく〜

工場に関するプチ情報

ここでは1日で10万本もの鉛筆が作られてるよ〜

え！そんなに！？

工場で作られている商品

鉛筆

色鉛筆

大人の鉛筆（シャープペンシルのように使える鉛筆）

鉛筆って持つ部分になる木の板と、芯が主な材料なんだ
シンプル〜
板…
芯…
そう思うでしょ？…ただ、結構奥が深くて木ならではの難しさがあったりするんだよ
木ならでは？

品質検査のポイント

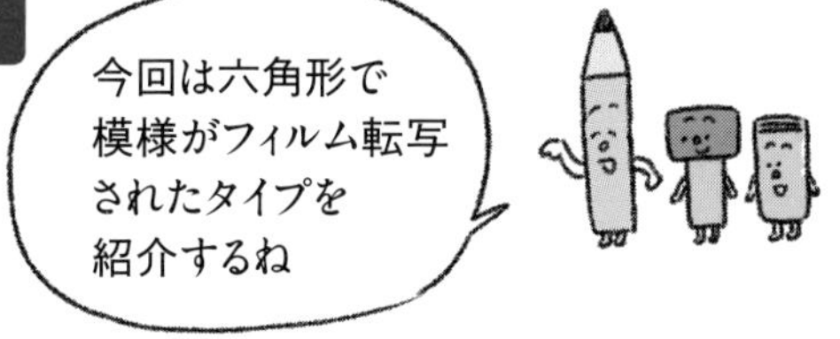

今回は六角形で
模様がフィルム転写
されたタイプを
紹介するね

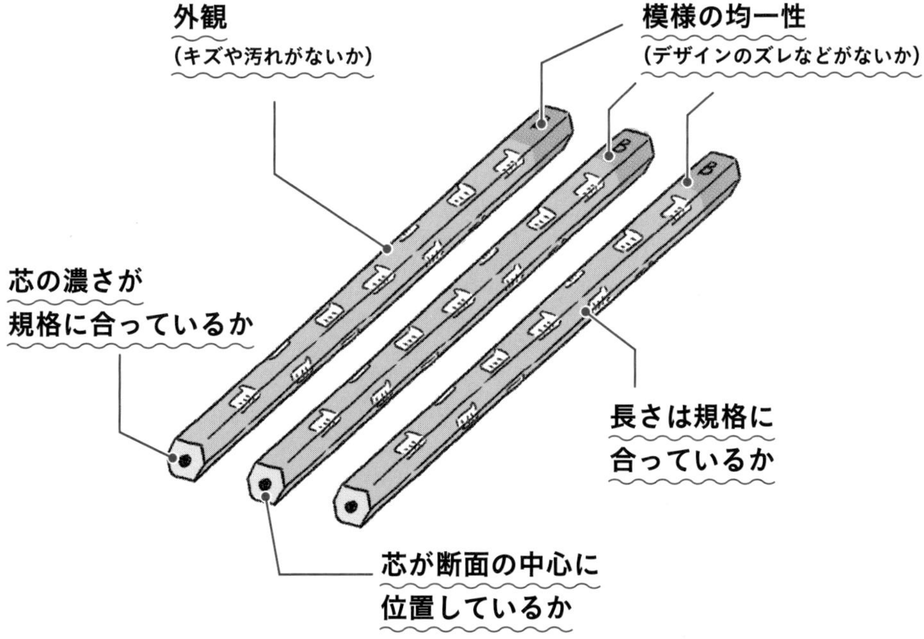

外観
（キズや汚れがないか）

模様の均一性
（デザインのズレなどがないか）

芯の濃さが
規格に合っているか

長さは規格に
合っているか

芯が断面の中心に
位置しているか

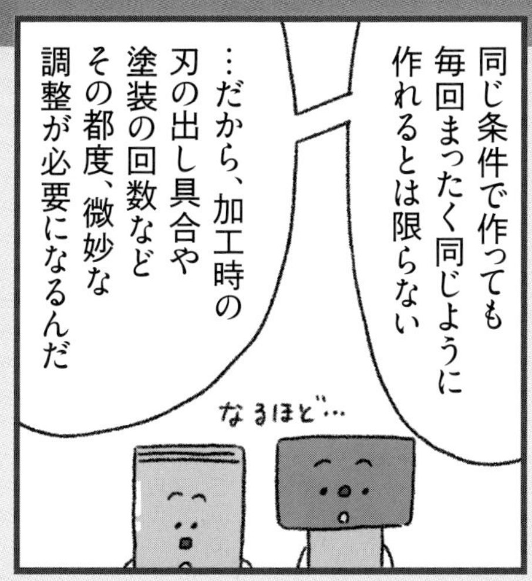
同じ条件で作っても
毎回まったく同じように
作れるとは限らない
…だから、加工時の
刃の出し具合や
塗装の回数など
その都度、微妙な
調整が必要になるんだ
なるほど…

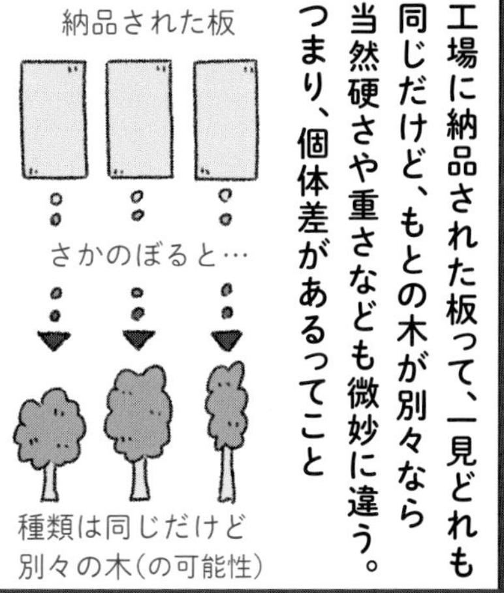
工場に納品された板って、一見どれも
同じだけど、もとの木が別々なら
当然硬さや重さなども微妙に違う。
つまり、個体差があるってこと
納品された板
さかのぼると…
種類は同じだけど
別々の木（の可能性）

鉛筆の検査項目

金属片の混入検査

納品された木の板の中に金属（散弾銃の弾など）が入っていないことを確認する

箱の上から
チェック
金属探知機
サッ
ササササ
サササッ

❶ 材料の受け入れ

芯　板

❷ みぞ加工

板の厚みを少し削りつつ
芯を乗せるための半円のみぞを彫る

曲げ強度検査

納品された芯の硬さが基準内かどうかを専用の機器で測定する

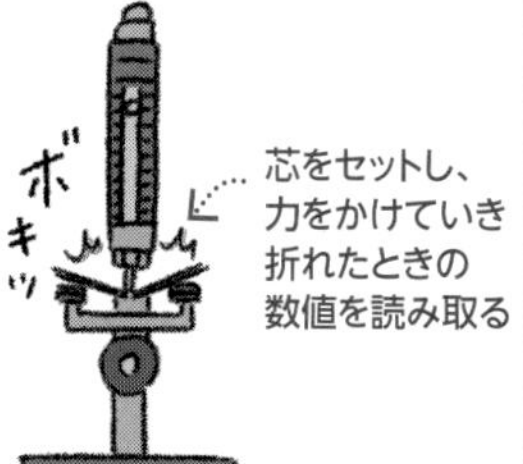

ボキッ
芯をセットし、
力をかけていき
折れたときの
数値を読み取る

書き味検査

芯の濃さや書くときの感触が標準品（基準のもの）と同じかを実際に書いて確認する

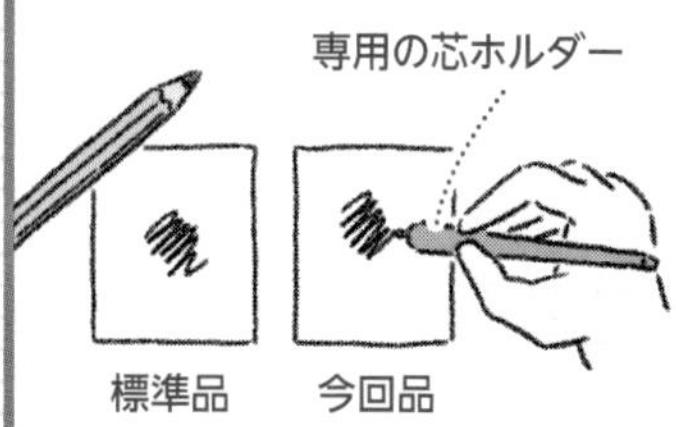

専用の芯ホルダー
標準品
今回品

板や芯は加工された❶の状態で納品されてくるんだ

みぞ加工の精度検査

彫ったみぞの形状、深さなどが正確にできているかを職人がチェックする

2枚の板を
重ねている
スッ
スッ
スッ
スッ
スッーズッ
スッスッ
全体チェック
感触チェック
目視チェック

❸ のりづけ・芯のセット

カチャン
ウィーン
カチャ
ガチャン
シャッ
シャッ

みぞに接着剤を付け、芯を乗せる。その上からもう1枚の板を重ねる

❹ プレス・乾燥

DRY
ドゥルルル

工程❸で作ったもの約40枚を専用の道具でプレスし、束状にする。その後、乾燥させる

プレスの力加減…

力は弱すぎても強すぎてもダメ。適切な力でプレスするため、ゲージをチェックしながら作業する

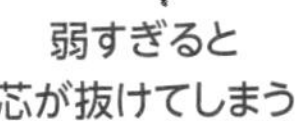

弱すぎると
芯が抜けてしまう

ぐいん

強すぎると
たわんでしまう

厚み測定

加工後の厚みが基準通りになっているかをダイヤルゲージという道具で測定する

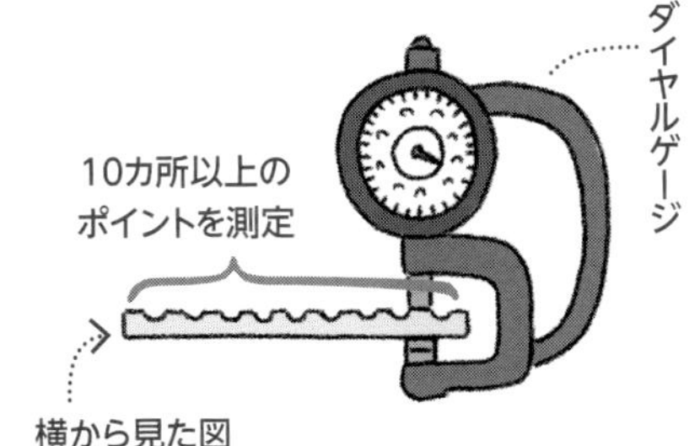
ダイヤルゲージ
10カ所以上の
ポイントを測定
横から見た図

寸法測定

各部分の寸法が正しく作られているかをノギスやダイヤルゲージで測定する

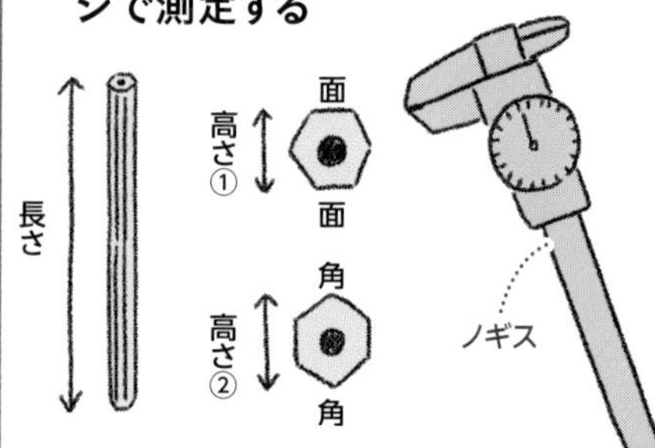

長さ
面
高さ①
面
角
高さ②
角
ノギス

曲がり検査

湿度などの影響で鉛筆が曲がっていないことを専用の道具で調べる

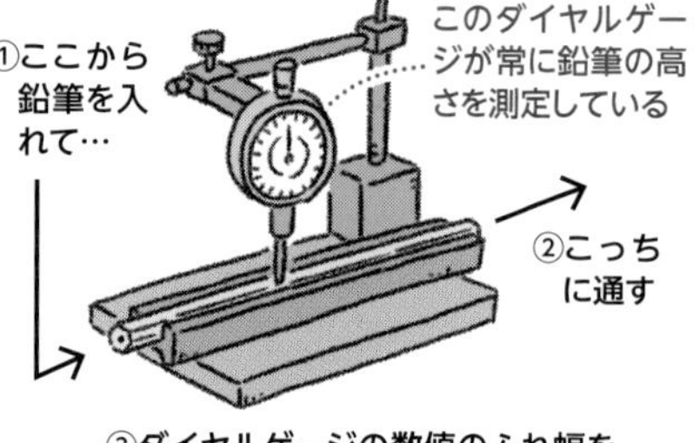

①ここから鉛筆を入れて…
このダイヤルゲージが常に鉛筆の高さを測定している
②こっちに通す

③ダイヤルゲージの数値のふれ幅をチェックする（曲がってないものは数値が動かない）

5 成形加工

CUT!!
CUT!
シュイーン
バラバラ

片面ずつ削り、鉛筆の形にする。刃の形状によって六角形や三角形などになる

6 塗装

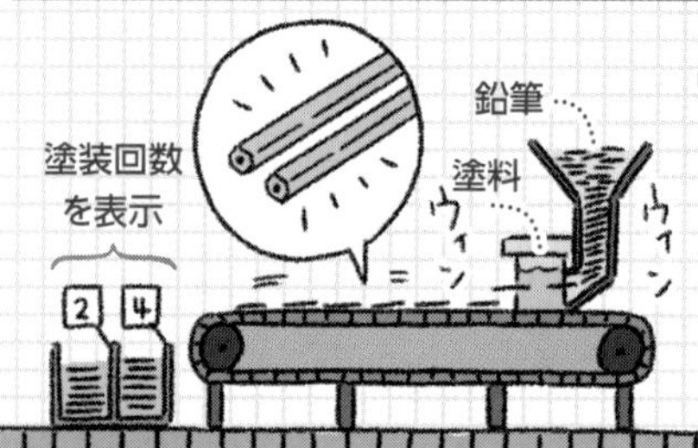

鉛筆
塗料
塗装回数を表示
2
4
ウィーン
ウィーン

鉛筆をよりキレイに仕上げるために下ぬり、中ぬり、仕上げぬりなど合計6～8回重ねぬりをする

偏芯検査

芯が断面の中心にあることを目盛り付きルーペでチェックする

目盛り付きルーペ
ジー

具体的な検査方法

① 長さAを測定

② 長さBを測定

③長さAから長さBを引き、この値が0.3㎜以下ならOK（芯が中心にある場合はこの値が0㎜となる）

④角度を変えて何度か行う

目指せ0mm!

最終検査

表面にキズや汚れ、印刷ミスなどがないことを目視で確認する

サッ
サッ

仕上がり検査

転写したフィルムがどれも同じようにはられているか、複数本並べてチェックする

ビシーッ

7 フィルム転写

ガ
ガ
ガ
ガ

キャラクターや模様が入ったフィルムに熱をかけて鉛筆の表面に転写する

8 仕上げ

スパン
スパン

端を切り落とし、決められた長さに整えて完成

9 出荷

色鉛筆だけは少し特別…

通常の鉛筆とは異なり、色鉛筆には追加の工程や検査が必要となる

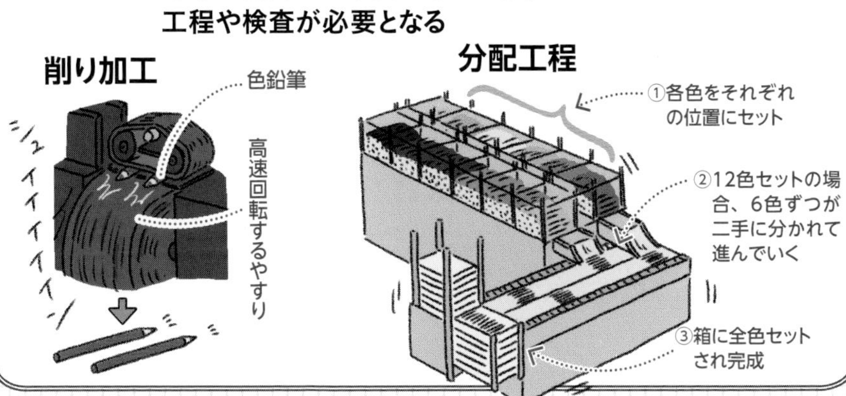
削り加工
色鉛筆
高速回転するやすり
シュイイイイーン
分配工程
①各色をそれぞれの位置にセット
②12色セットの場合、6色ずつが二手に分かれて進んでいく
③箱に全色セットされ完成

製造室
シュイイイン
この機械で鉛筆の形にするんだ
シュイイイン
シュイイイン
おぉ
シュイイイン
どんどん鉛筆ができていく!!

シュイイイン
まずは上の面を削り
ガガガガ
途中でひっくり返す
パタ
シュイイイン
そして反対の面も削れば…
ガガガガ
鉛筆の形になるってわけ
コロ
コロ
コロ
コロ

シュイイイン
おもしろいしくみだな～
シュイイイン
ん?
シュイイイン

え何これ?
鉛筆がキレイに並んでる～

あぁ
これは鉛筆の
本数を数える
ためのもので
「計量ます」と
呼んでるよ
…計量
ます？

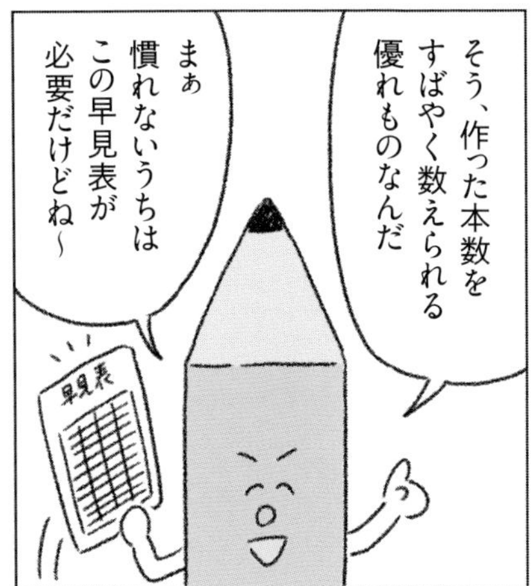
そう、作った本数を
すばやく数えられる
優れものなんだ
まぁ
慣れないうちは
この早見表が
必要だけどね〜
早見表

どう？
便利でしょ？
う〜ん
はかりとか使った
方が早いような
気も…
あ、
たしかに…

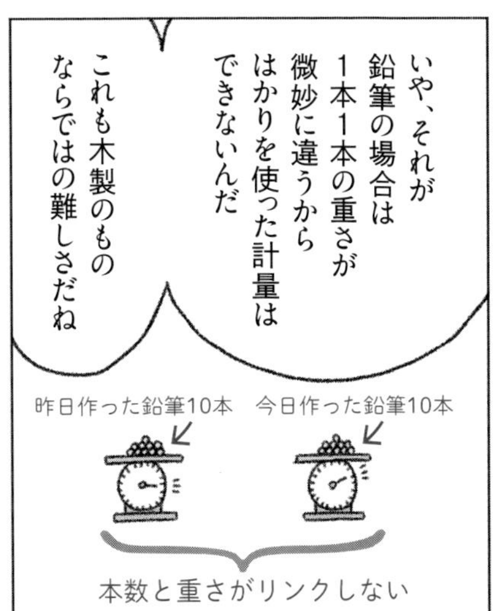
いや、それが
鉛筆の場合は
1本1本の重さが
微妙に違うから
はかりを使った計量は
できないんだ
これも木製のもの
ならではの難しさだね
昨日作った鉛筆10本
今日作った鉛筆10本
本数と重さがリンクしない
→重さをはかっても
本数はわからない!!

鉛筆用計量ますの使い方

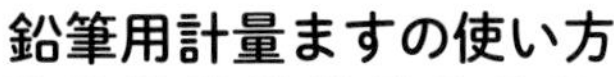

①作った鉛筆をますに並べる

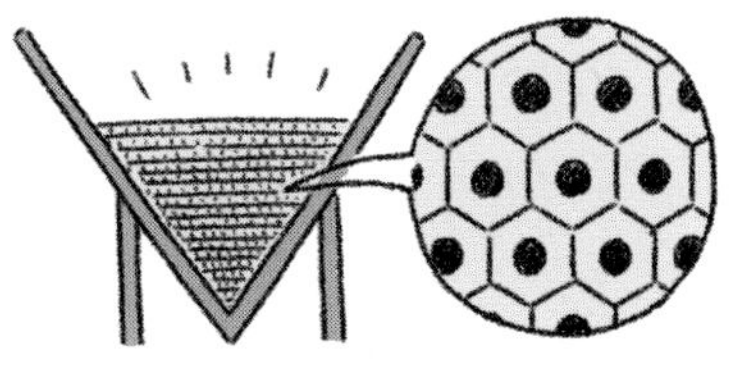

②最上段の鉛筆の本数を数える
（計量ますに鉛筆が正三角形に並ぶため、
最上段の本数＝段数となる）

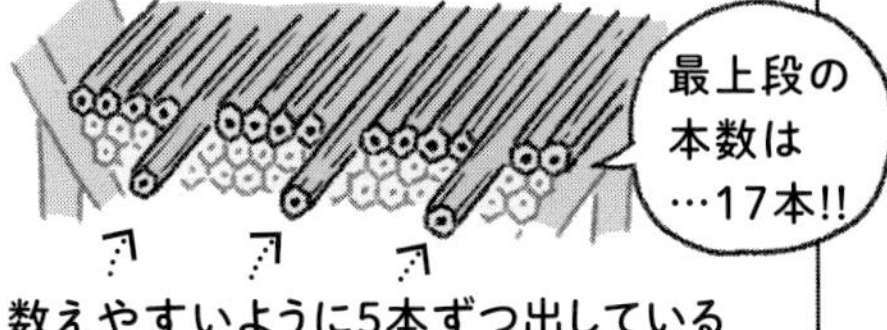
最上段の
本数は
…17本!!
数えやすいように5本ずつ出している

③早見表と照合し、計算

15
120
16
136
17
153
18
19
…ってことは
153本!!

※余りがある場合はさらにその数をたせばOK
（例えば5本余っていれば153＋5＝158本となる）

なるほど～
そういうことか
そう言われると
かなり便利な
道具って気がする
あ、そうそう
こっちには
検査道具が
そろってるよ～
芯の曲げ
強度検査機
曲がり
検査機
偏芯検査用
ルーペ
ノギス
ボクはやっぱり
ルーペが気になるな
いろいろ
ある～
あ、せっかくだから
偏芯検査を
やってみる？
ヒョイ
やりたーい
芯が中心から
どのくらい
ズレてるか…
ふむふむ
これはほぼ…
中心だね
……
スッ
？
ふと思ったんだけど
そもそもなぜ
芯が中心からズレると
ダメなの？
お
良い質問だね
それは、先を削った
ときに不具合が
起きるからなんだ
不具合…？

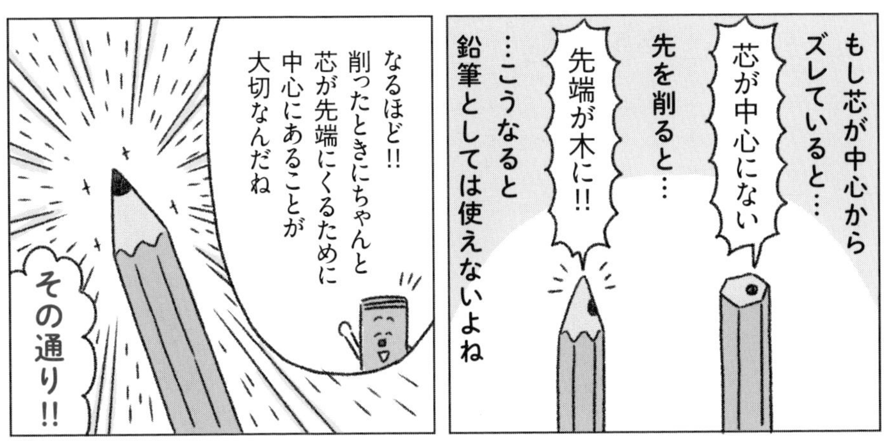
もし芯が中心から
ズレていると…
芯が中心にない
先を削ると…
先端が木に!!
…こうなると
鉛筆としては使えないよね
なるほど!!
削ったときにちゃんと
芯が先端にくるために
中心にあることが
大切なんだね
その通り!!

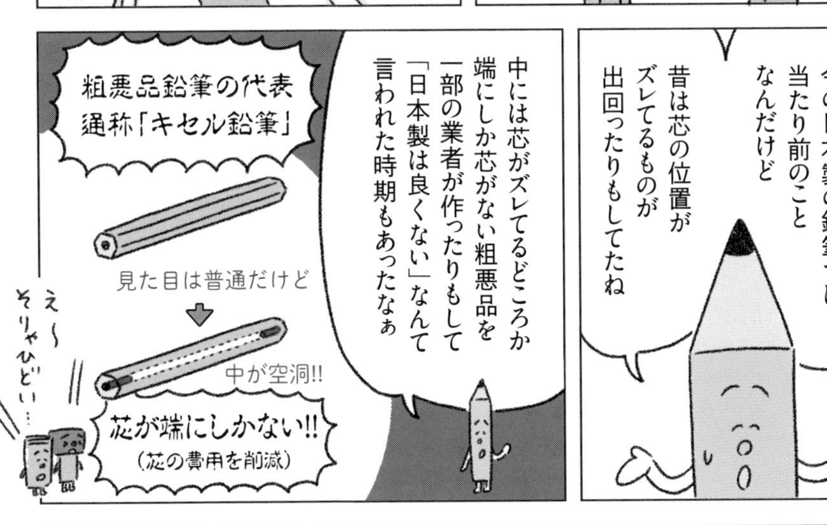
こういう品質って
今の日本製の鉛筆では
当たり前のこと
なんだけど
昔は芯の位置が
ズレてるものが
出回ったりもしてたね
中には芯がズレてるどころか
端にしか芯がない粗悪品を
一部の業者が作ったりもして
「日本製は良くない」なんて
言われた時期もあったなぁ
粗悪品鉛筆の代表
通称「キセル鉛筆」
見た目は普通だけど
中が空洞!!
芯が端にしかない!!
(芯の費用を削減)
え〜
そりゃひどい…

でもその後、同業の組合を
設立したり、日本産業規格(JIS)
などを定めたことで粗悪品は
排除されていった
今では日本の鉛筆は
世界トップレベルの品質さ
へ〜鉛筆に
そんな歴史が
あったんだね〜
しみじみ
うん
うん

入りきらなかったこぼれ話

鉛筆自体に文字を加工するときはその文字の深さや鮮明さなどを検査するよ
KITABOSHI HB
文字の深さか〜

造幣局

● お金(硬貨)

お金（硬貨）

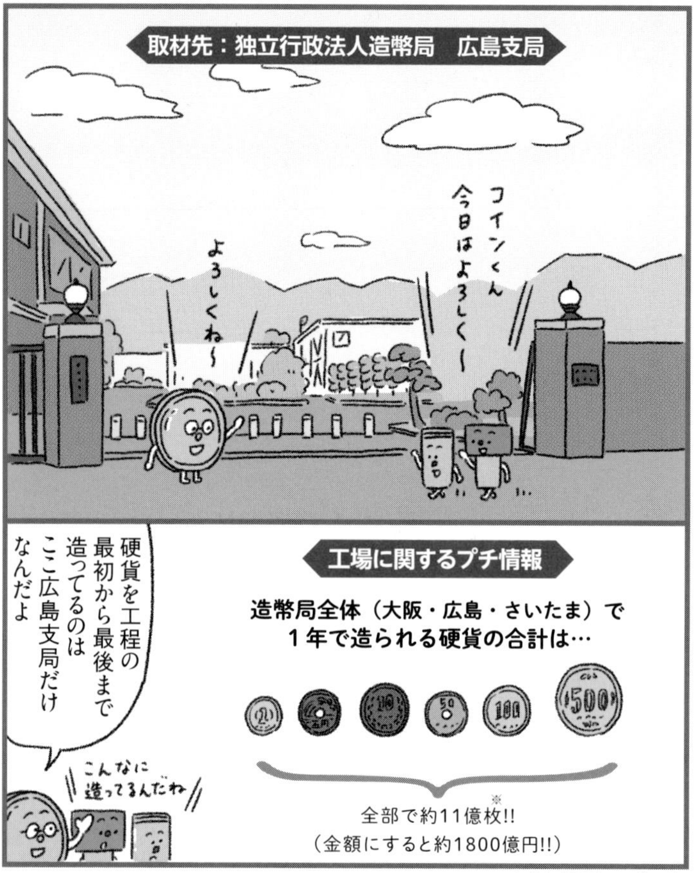

取材先：独立行政法人造幣局　広島支局

コインくん今日はよろしく～

よろしくね～

硬貨を工程の最初から最後まで造ってるのはここ広島支局だけなんだよ

工場に関するプチ情報

造幣局全体（大阪・広島・さいたま）で
１年で造られる硬貨の合計は…

全部で約11億枚!!※
（金額にすると約1800億円!!）

こんなに造ってるんだね

※平成30年のデータ

造幣局の敷地内に桜の木がいっぱいあるんだね
本当だね
春になるとすごくキレイだよ～

?

何これ!? 金属の塊??
ダダダダ
ダダダ

品質検査のポイント

これらの項目以外にも
いろいろと検査してるけど
セキュリティ上
オープンにできない
ものも多いんだ

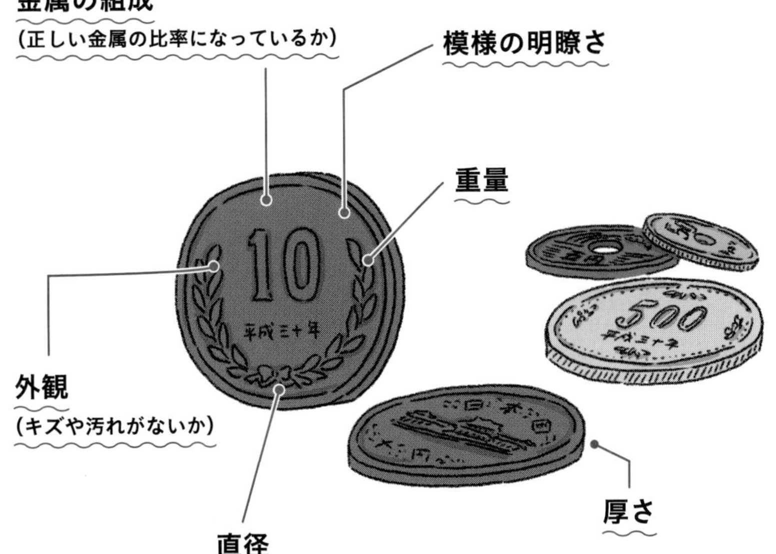
金属の組成
（正しい金属の比率になっているか）
模様の明瞭さ
重量
外観
（キズや汚れがないか）
直径
厚さ
10
平成三十年
500

…これは、「鋳塊（ちゅうかい）」と言って
硬貨が造られる過程の
途中段階のものだね
こんなところに
置いといて
盗難とか…大丈夫？

もちろん常に監視してるけど
1本が約450kgもあるから
盗まれることはまずないかな…
450kgか…
それは大丈夫
そうだね…

お金（硬貨）の検査項目

今回は10円玉の
製造工程と
検査を紹介するね

1 原料の受け入れ

10円玉の成分は
この3つの金属

すず　亜鉛　銅

2 溶解

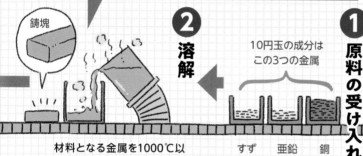

鋳塊

材料となる金属を1000℃以上の炉の中でとかし、金属の塊「鋳塊」を作る

金属の組成検査

原料をとかし込んだ炉の中から、少量を取り出し冷却し固める。そして、それを分析装置にかけ、金属の比率が基準通りになっているかを調べる

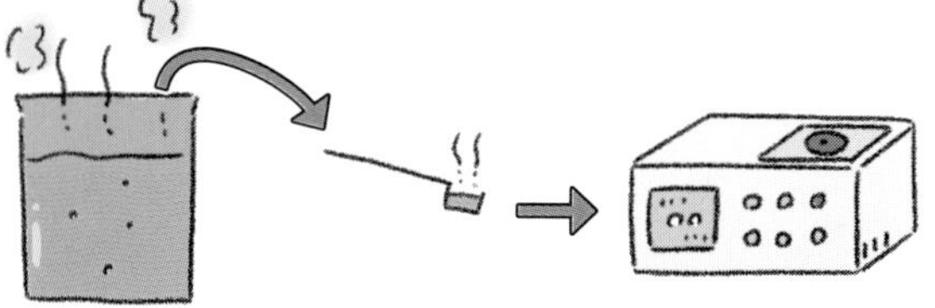

溶解炉から少量をすくい、固める

分析装置にかけて
組成を調べる

溶解状態の管理

溶解炉の前に担当者がスタンバイし、とけた金属の状態をときおりチェックする

炉から流れる
とけた金属
炉の中の温度は
1000℃以上！
ゴ
ゴ
ゴ
ゴ
ゴ
ゴ
ゴ
ゴ
ゴ

圧延時の表面チェック

熱した鋳塊に圧力を加えて延ばし終えた後、表面にひび割れなどの不具合が発生していないかどうかを職人さんがチェックする

移動しながら全体を確認

圧延を終えた金属

このときの金属は熱いときで数百℃もあるんだ

あつそ〜!!

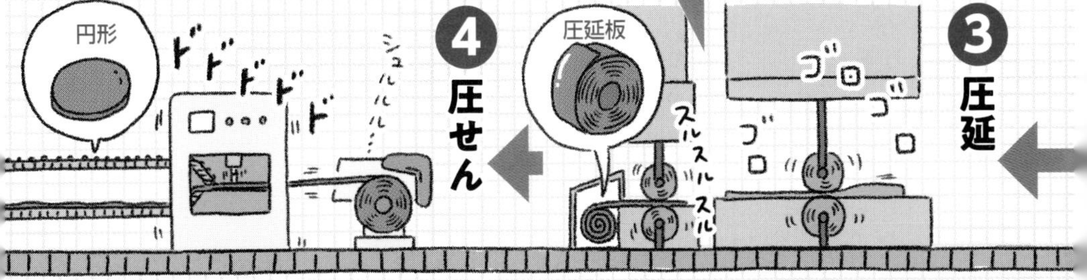

4 圧せん

円形

圧延板を10円玉の形状に丸く打ちぬいていく。この打ちぬかれたものを「円形(えんぎょう)」と呼んでいる

3 圧延

圧延板

鋳塊を数回に分けてローラーで延ばし、厚さ数㎜の圧延板にする。その後コイル状に巻き取っておく

打ちぬいた板の行き先…

圧延板を打ちぬいた後の硬貨にならない部分は、再度原料として用いられる

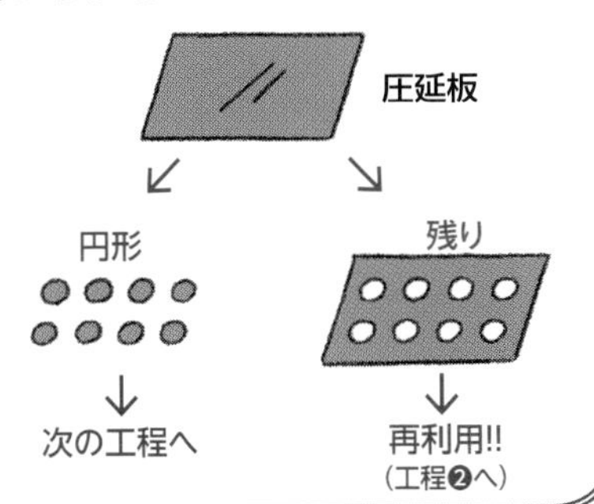
圧延板
円形
残り
次の工程へ
再利用!!
（工程❷へ）

厚み検査

圧延板を機械にかけ、センサーで厚みを検査する

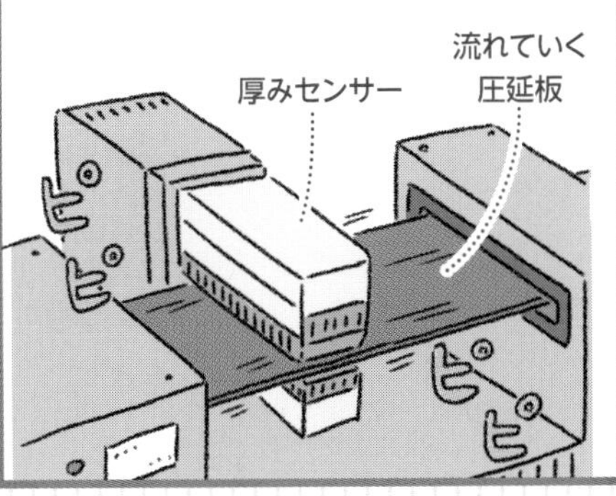
厚みセンサー
流れていく
圧延板
ピ
ピ
ピ
ピ

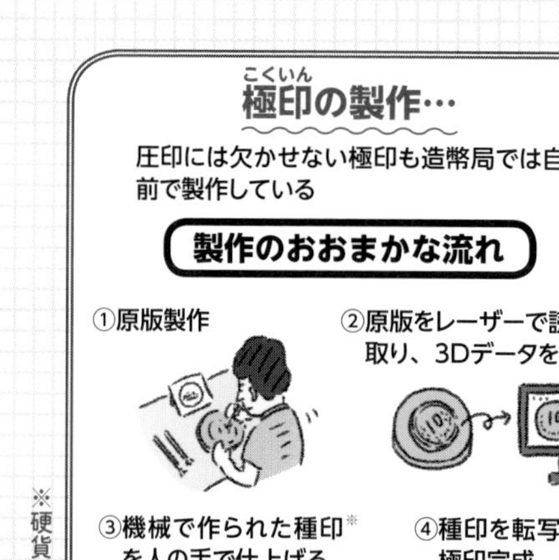
極印（こくいん）の製作…
圧印には欠かせない極印も造幣局では自前で製作している
製作のおおまかな流れ
①原版製作
②原版をレーザーで読み取り、3Dデータを作成
③機械で作られた種印※を人の手で仕上げる
顕微鏡
④種印を転写し極印完成
種印
極印

※硬貨の元になる型

形状検査

圧縁によって形状が変化してしまっていないかを装置によって検査し、不具合のあるものは取り除く

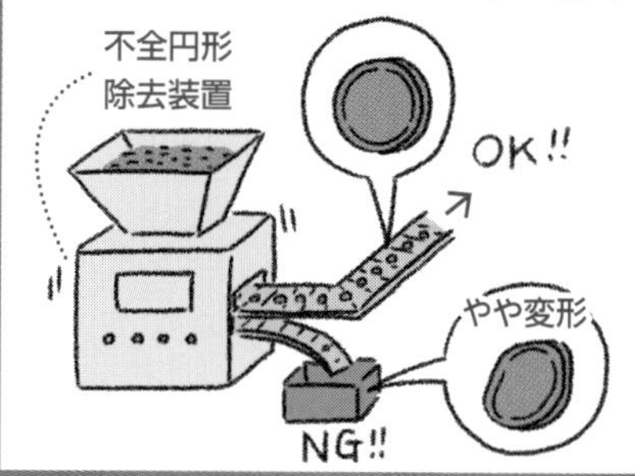
不全円形除去装置
OK!!
やや変形
NG!!

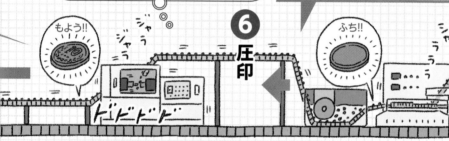

もよう!!
ジャラ
ジャラ
ドドドド
6
圧印

ふち!!

ジャラ

5 圧縁

1分間に750枚のスピードで模様をつける。この際、極印というハンコのような金型でオモテとウラに同時に模様をつける

模様を出しやすくするため、円形に力をかけ、周囲に縁をつける。その後、酸で洗浄・乾燥を行う

圧印具合の事前確認

模様をつける役目をする極印と、円形側面にギザなどをつける「カラー」と呼ばれる金型が正しい位置に取りつけられているか（偏りなく中心に据えつけられているか）を事前にチェックする。具体的には極印とカラーの間に和紙をはさんでかみ合わせ、キレイな輪っかになるかを確認する

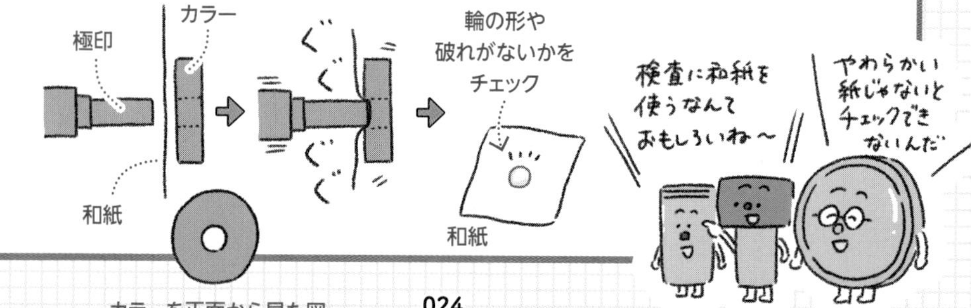
カラー
極印
和紙
ぐぐぐぐ
輪の形や破れがないかをチェック
和紙
検査に和紙を使うなんておもしろいね〜
やわらかい紙じゃないとチェックできないんだ
カラーを正面から見た図

完成品の目視検査

検査機にかける前に、人の目で模様が正しくついているか（極印が劣化していないか）をチェックする

じーー…
完成品を数枚
ぬき取って
ルーペでチェック

極印の管理

圧印を何度も行っていくと極印自体も劣化していくため、定期的に極印を交換している

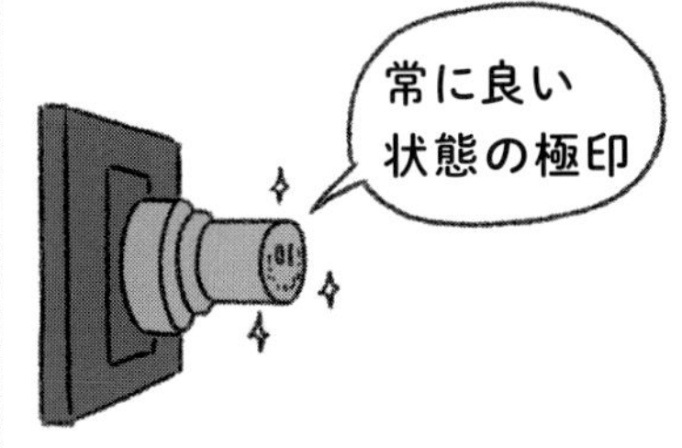
常に良い
状態の極印

8 計数・出荷

合格した硬貨を計数し、厳重に袋づめし、出荷する

7 検査

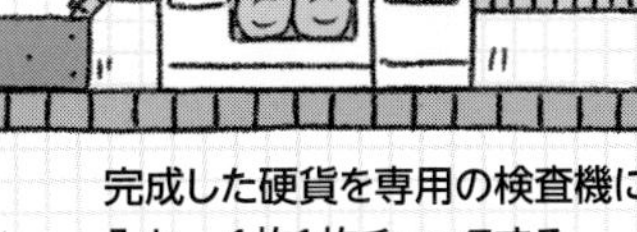
ピ
ピ
ピ
ピ
ピ
ピ

完成した硬貨を専用の検査機に入れ、1枚1枚チェックする

完成品の最終検査

検査機に通した瞬間、オモテ面とウラ面が撮影される。それと同時にキズや汚れがないかなどの様々な項目を自動で判定し、不具合のあるものは除去する

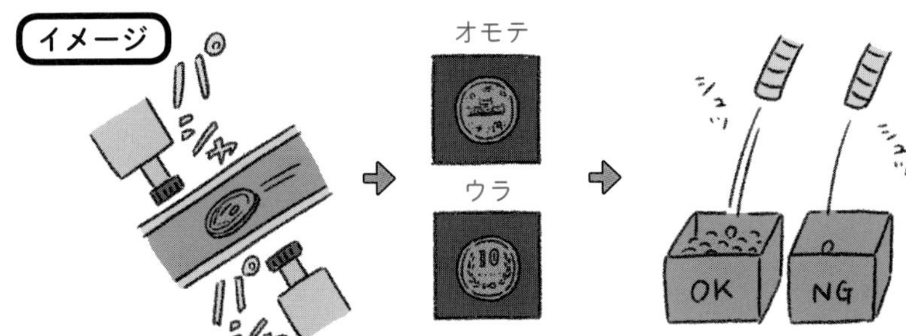
イメージ
パ
シャ
パ
シャ
オモテ
ウラ
OK
NG

圧印・検査エリア

おぉ
これは…

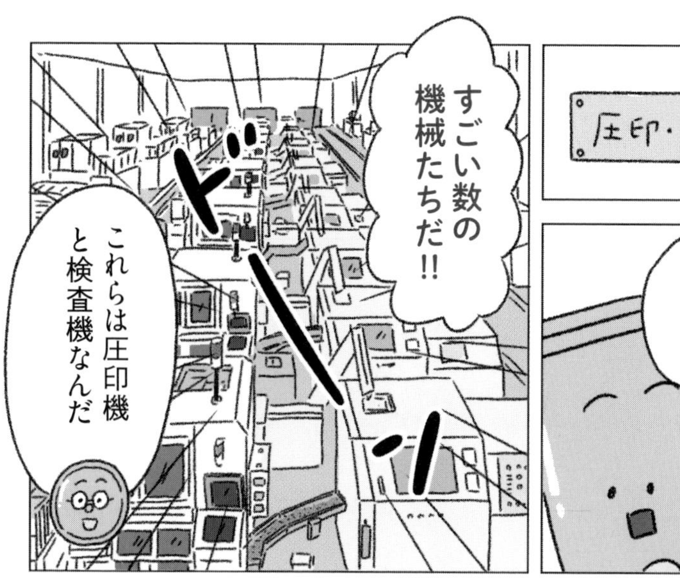

ドン
すごい数の機械たちだ!!
これらは圧印機と検査機なんだ

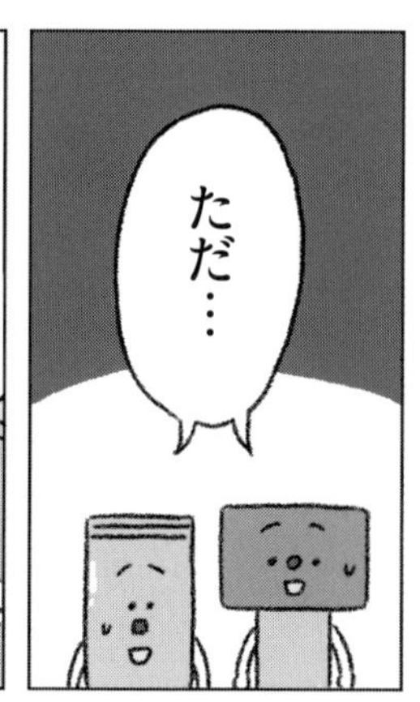

ただ…

もう少し近くで見たいなぁ…
ダメ?
…ごめんねセキュリティの関係でこれ以上は近づけないんだ
ガラス越しの見学

万が一、機密情報がもれて悪用でもされたら大変なことになっちゃうからね…
そっか…それは仕方ないや
なっとく

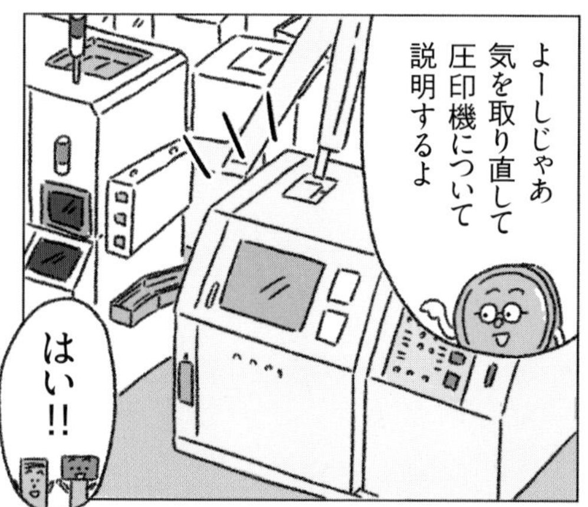

よーしじゃあ気を取り直して圧印機について説明するよ
はい!!

まずは
上の入り口に
円形を入れる
ジャラ
ジャラ
ジャラ
円形
すると
中で1枚ずつに
並べられて…
ドドドド
ドドド
バンバン
圧印されて
模様がつく
ジャラララ
おぉ!!
10円玉になってる
そしてそのまま
左にある検査機に入り
1枚1枚検査されるんだ
検査の
結果が画面に
出るから見てて
パッ
パッ
ジャラララララ
上下の画面に
硬貨のオモテと
ウラが出てる
2つのカメラで
両面を検査
してるんだ
本当だ
パッパッパッパッ
圧印機と同じで
検査機もすごい
スピードだ…
ちなみに、この検査機が
導入されたのが平成16年。
それまでは人が
検査をしてたんだよ
え、わりと
最近まで人が
やってたって
こと？
くるっ

そうなんだ
以前は30人以上もの
検査員さんたちがいてね
流れてくる硬貨を
きびしい目で
チェックして
いたんだよ

検査員さんたちの
手(目)にかかれば…
ジーーー…
流れてくる
硬貨たち

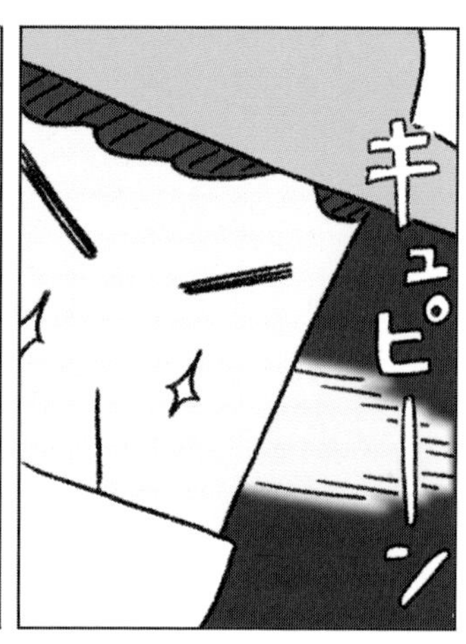

キュピーーン

シュバッ
不合格品
発見!!

すごーく小さな
キズが入ってる

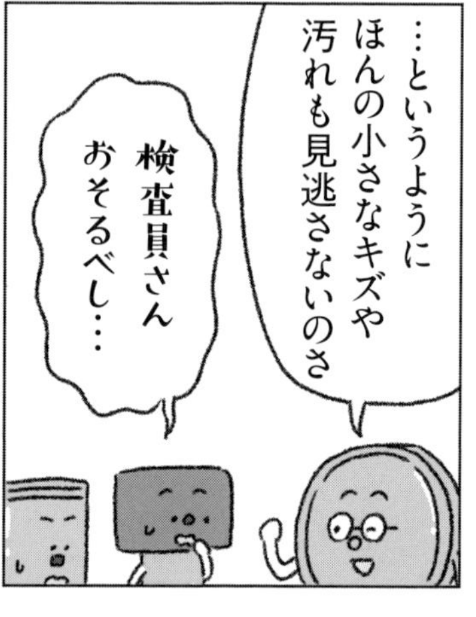

…というように
ほんの小さなキズや
汚れも見逃さないのさ
検査員さん
おそるべし…

そして、機械で自動化した
といっても、検査機を人の目の
精度にまで近づけるために
何度も試行錯誤が
必要だったんだ
検査員さんたちが
いたから、現在も
高い品質を
維持できてるってことだね
あとは
任せた!
ボク
がんばる!!
検査機
検査員さんたち

あ、硬貨の製造工程とはちょっと違うけど品質の維持って意味では「貨幣大試験」っていうのもあるよ
かへい…だいしけん？

貨幣大試験とは…造幣局で造られた硬貨が、基準通りの重量になっているかを確認するための試験のこと
貨幣の信頼性維持のため、財務省がその年に造られた硬貨に対して年に一度実施している
造幣局
試験よろしく!!
財務省
きっちり試験させていただきます！

ちなみにこの試験1872（明治5）年から始まって今年で148年。これまで一度もとぎれてないんだ
148年!!

もちろん毎回合格なんだよ〜
148回連続合格…造幣局さんの技術力すご…

貨幣大試験の方法

①毎日の製造分から決められた枚数をぬき取り保管しておく（10円玉の場合は5万枚製造につき1枚ぬき取る）

○月1日
2日
3日
31日
ぬき取り分

②試験当日、保管しておいたものを1000枚単位に分け、重量をはかる

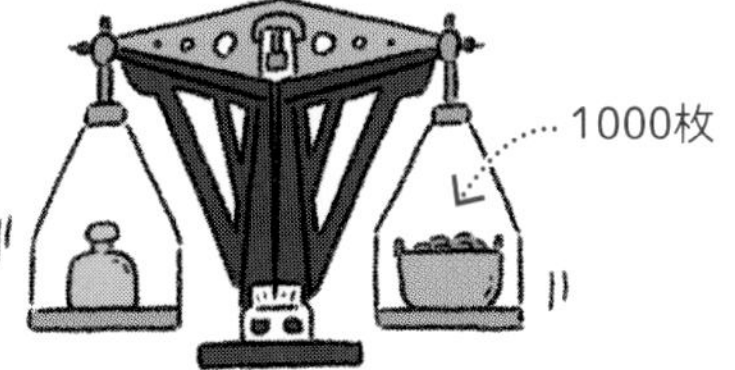
1000枚

③重量の結果を基準と比較し、合格範囲内かどうかを判定する

基準との差0g!
よって合格!!

入りきらなかったこぼれ話

あの人たちは、とかしている
金属の状態をチェック
してるんだけど
すごく暑いから、うしろに
スポットクーラーを
設置してるんだ
スポットクーラー
1000℃以上で
とかしてるんだ
もんね…あつそう…

アサヒグループ

●缶ビール ●カルピス ●炭酸飲料

缶ビール

取材先：アサヒビール株式会社　茨城工場

Asahi

缶ビールくん よろしく～

オッケー

ビール以外のものも作ってるよ～

工場に関するプチ情報

1日で作られる缶ビールの本数

最大約570万本

この工場で作られている商品

スーパードライ　もぎたて　WONDA など

まず何と言っても
ビール作りで重要なのは「発酵」だね
発酵？

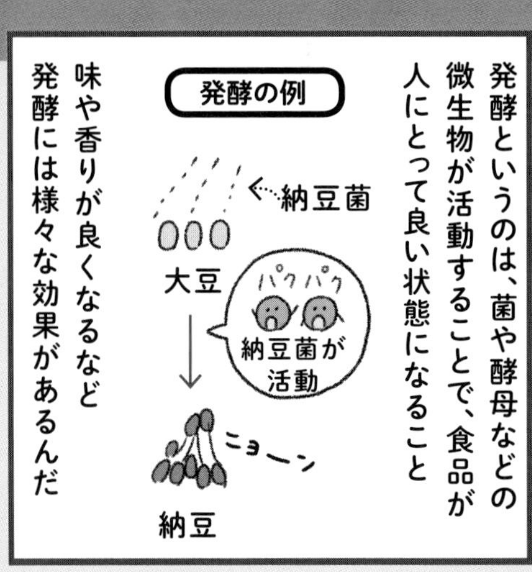
発酵というのは、菌や酵母などの微生物が活動することで、食品が人にとって良い状態になること
発酵の例
納豆菌
大豆
パクパク
納豆菌が活動
ニョーン
納豆
味や香りが良くなるなど発酵には様々な効果があるんだ

品質検査のポイント

泡をチェックするのは
ビールならではだね

内容量が表示通り入っているか

キズはないか

香り

泡質
（泡もちなど）

アルコール濃度

味
（キレ、コクなど）

外観
（透明性など）

印字内容
（賞味期限など）

安全性
（菌の混入はないかなど）

SUPER "DRY" Asahi 生 スーパードライ 生ビール 350ml

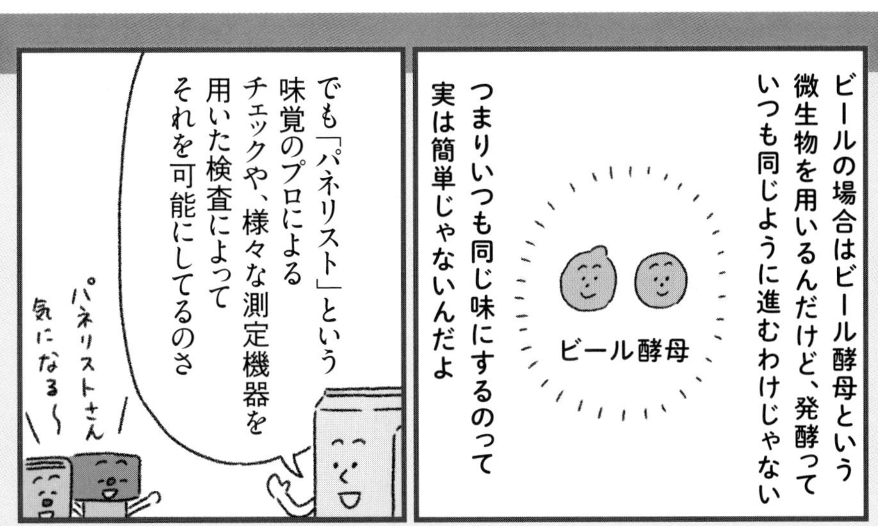
ビールの場合はビール酵母という微生物を用いるんだけど、発酵っていつも同じように進むわけじゃない
ビール酵母
つまりいつも同じ味にするのって実は簡単じゃないんだよ
でも「パネリスト」という味覚のプロによるチェックや、様々な測定機器を用いた検査によってそれを可能にしてるのさ
パネリストさん気になる〜

缶ビールの検査項目

缶の内面検査

内面に異物がないか、変形してないかなどを機械でチェック

ピピピ
OK
ピピピ

1 原料や資材が届く

主原料

資材

缶のパーツ　麦芽　ホップ　水

水の浄化＆検査

受け入れた原水に脱色・脱臭・ろ過などの浄化処理を行い、pH※や残留塩素濃度などが基準内の数値かを常にチェックしている

モニタールーム

原水のところで飼っている金魚（キレイさをチェック）

水をキレイにする作業もここでやってるんだよ

※液体の酸性・アルカリ性の度合いを数値化したもの

官能検査：麦汁の味チェック

特別なテストに合格したパネリストと呼ばれる社員がチェックし、問題がないか検査する

ジー…
見た目チェック

ツー
味や香りチェック

人の感覚を使った
検査のことを
官能検査というよ
ほ〜

23m
酵母
大きい!!

3 発酵

原料

2 仕込み（麦汁作り）

ビール酵母を添加後、大きなタンクの中で約1週間発酵させると、ビールになっていく

原料を煮込んで、糖やアミノ酸を取り出し「麦汁」というビールのもとを作る

ビール酵母とは…

直径5〜10μm※の小さな微生物。増殖をくり返しながら、糖をアルコールと炭酸ガスに分解してくれる

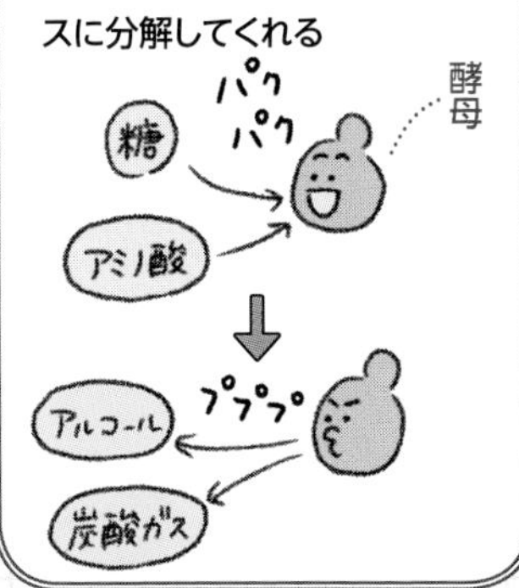
パクパク
酵母
糖
アミノ酸
プププ
アルコール
炭酸ガス

発酵具合の検査

酵母による発酵が順調に進んでいるかどうかを知るために、温度と酵母の数を毎日チェック

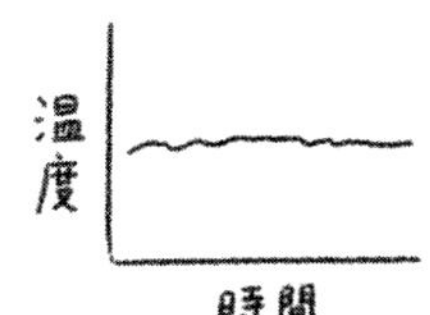
温度
時間
発酵にベストな温度になるよう常に制御している

ピピピ
特殊な測定機器によって酵母数の変化をチェックしている

※μm＝マイクロメートル（1μm＝0.001mm）

完成品の各種数値測定

pH や苦味価（苦みを数値化したもの）、色度などを測定し、設計通りのビールができているかをチェック

アルコライザー

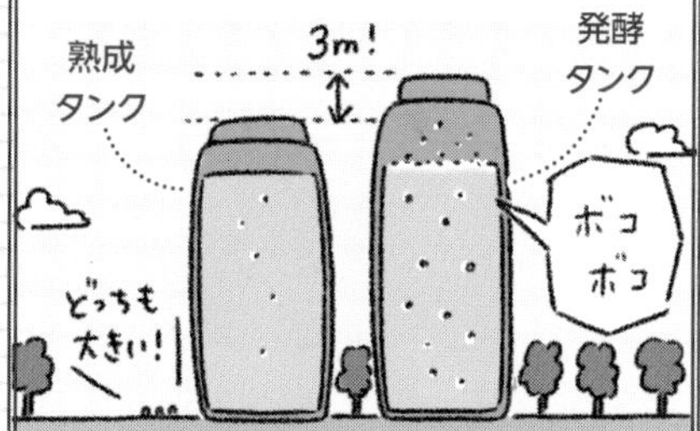

熟成タンクと発酵タンクの高さが微妙に違うのにはワケがある
熟成タンク
3m！
発酵タンク
ボコボコ
どっちも大きい！

発酵タンクの中では発酵によって炭酸ガスが発生するため、その分余計に高さを取っている

4 熟成

別のタンクに移し、数十日間かけて熟成させ、味を整える

やっぱり大きい！
20m

5 ろ過

↑↑↑
下から上に送られる
充てんラインへ
タンクから

特殊な装置を使って、中の酵母や小さな粒子を取りのぞく

微生物検査

完成したビールに菌が混入していないかどうかをチェックする

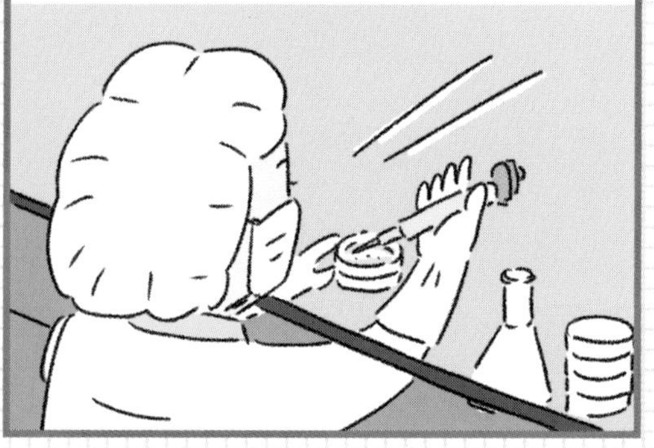

菌の混入はビールを濁らせたり、香りや味を変化させることになるから絶対にNGなんだ
なるほど〜

官能検査:完成したビールの味チェック

見た目や香り、キレやコクなどの味を含む
トータルで50以上もの項目をチェックし
正しいものが作られたかを検査している

スンスン
チェック表

ゴクリ

パネリストのみなさん

複数でチェックすることで精度を上げてるんだ

6 充てん

1分間で1500本!

7 出荷

Asahi

無菌状態で缶にビールを充てん後、フタを付ける

泡もち検査

完成したビールの泡もち（泡がどれくらい長もちするか）を測定する

シュイイイイン
シュイイイイン

泡もち測定機

缶詰のしくみ

①フタをのせる

フタ
缶
ビール

②フタの外側をまき込む

くるり

③押し込んで完成

ギュッ

官能検査室
ここはパネリストさんたちが、いつも味をチェックしている部屋だよ
広ーい
毎日11時半になるとここで味のチェックが始まるんだ

え？11時半って…時間が決まってるの？

そうなんだ
人の味覚は空腹時に鋭くなると言われてるから、その時間に合わせてるんだよ
キタキター!!
※イメージ

ちなみにパネリストさんはメーカーごとにビールを見分けるのはもちろんのことビールの微妙な味の違いも見分けられるすごい人たちなんだ
どこの会社が作ったビール？
?
?
?
?
パネリストなら見分けられる！
A社
B社
C社
アサヒビール
かんたん!!

あ、せっかくだから
ちょっと似たような
ことやってみる?
?

5分後…

お〜〜〜〜〜〜
※この２人は20歳以上という設定です

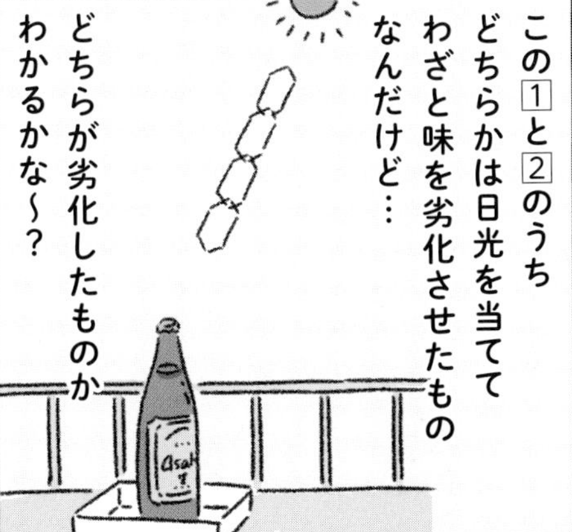
この1と2のうち
どちらかは日光を当てて
わざと味を劣化させたもの
なんだけど…
どちらが劣化したものか
わかるかな〜?

ゴクリ
ゴクリ
ゴクリ

う――ん…
どっちもおいしいです
ズコッ

これくらいは
当てられないと
パネリストには
なれないね〜
パネリストさん
すごすぎ〜

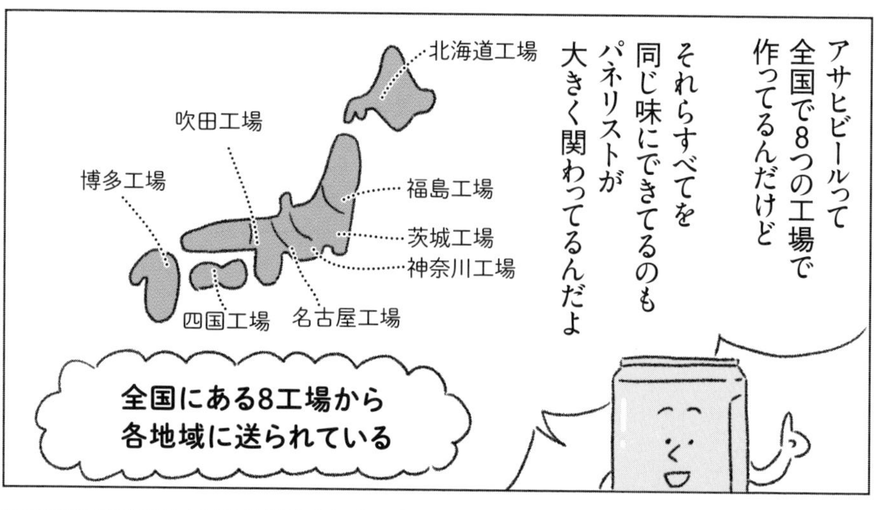
アサヒビールって
全国で8つの工場で
作ってるんだけど
それらすべてを
同じ味にできてるのも
パネリストが
大きく関わってるんだよ
北海道工場
吹田工場
博多工場
福島工場
茨城工場
神奈川工場
四国工場
名古屋工場
全国にある8工場から
各地域に送られている

全国8工場のビールを同じ味にできるしくみ

①各工場が全工場から
ビールを取りよせる

②全パネリストが官能検査を行う
（合計で80人以上の結果が集まる）

8工場分!!

③各工場のビールの
評価結果が出る

④基準値内でもわずかなズレが
あれば、それを是正するための
検討が行われる

○○工場のビール評価表

	鈴木さん	佐藤さん	・・・・
キレ	◎	○	○
コク	○	○	△
熟成度合	○	◎	○
⋮	△	○	○

△△工場の
香りの項目が
中心値から
ズレ始めて
いる……
製造工程の
見直しだ!

――というふうに
全工場のビールを
全パネリストがチェック
してるってわけ!!
スーパードライなんて
これを1カ月に
3回も行ってるんだよ
お〜〜
さすが
スーパードライだ

いやー
それにしても
8つのビールを
一度にチェックするなんて
すごいよね〜
うん
うん

いやいや
通常業務のとき
一度に30サンプルくらい
飲むこともあるんだよ
さ、30!!

だからお酒が弱いパネリスト
さんは、官能検査の後
ちょっと酔ってたりするね
ホロ酔い…

パネリストさんって
ビールを飲めるのは
うらやましいけど…
大変な
お仕事だ〜

カルピス

取材先：アサヒ飲料株式会社　群馬工場

カルピスくん
こんにちは
よろしく〜

工場に関するプチ情報

カルピスは発売から100年以上たってるんだ

1日で作られるカルピスの本数

約30万本

この工場で作られている商品

カルピス　カルピスウォーター　バヤリースなど

お〜!

ピーピー
あ
ちょうど生乳が届いたみたい
生乳って牛乳のこと?

生乳は乳牛からしぼったままのもののことで、それを殺菌したものが牛乳
生乳
殺菌
牛乳
カルピスは国産生乳が原料なんだ

品質検査のポイント

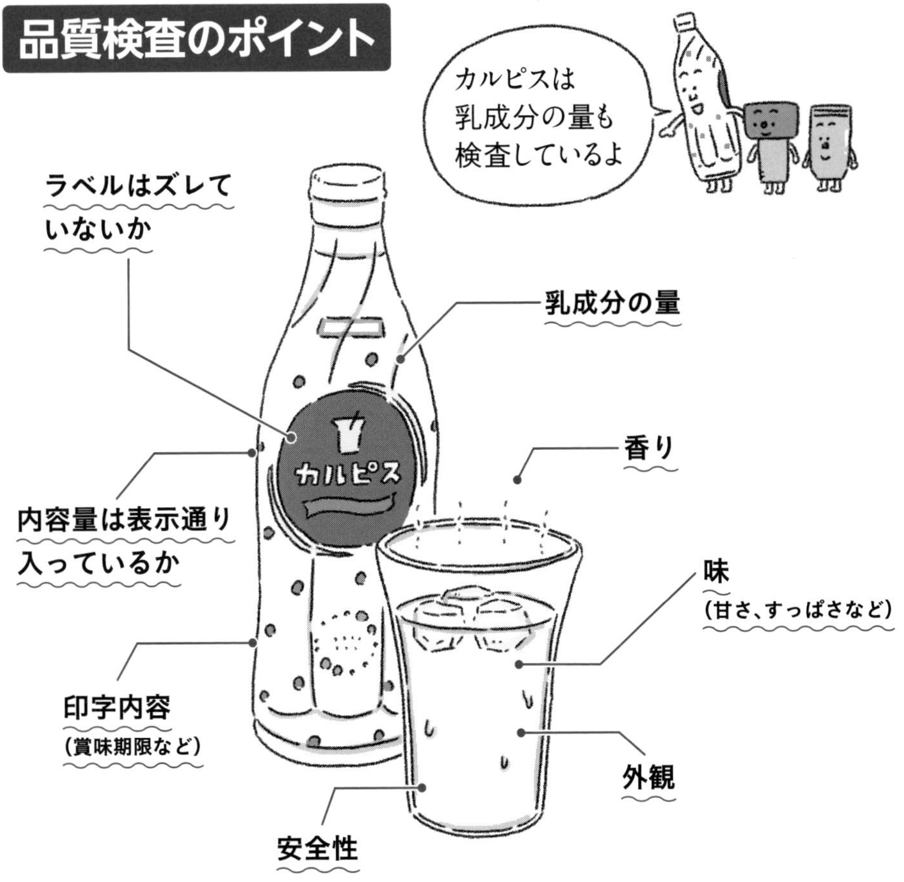

カルピスは乳成分の量も検査しているよ

ラベルはズレていないか

乳成分の量

内容量は表示通り入っているか

香り

味
(甘さ、すっぱさなど)

印字内容
(賞味期限など)

外観

安全性

さらに、カルピスを作るうえで欠かせないのは、発売から100年以上受けつがれてきたカルピス菌だね
カルピス菌
乳酸菌と酵母で構成されている
この菌を用いた発酵によってカルピス特有の味になるんだよ
お〜〜
ここでも「発酵」がキーワードなのか〜〜

カルピスの検査項目

抗生物質検査

生乳の中に抗生物質が含まれていないことをチェック

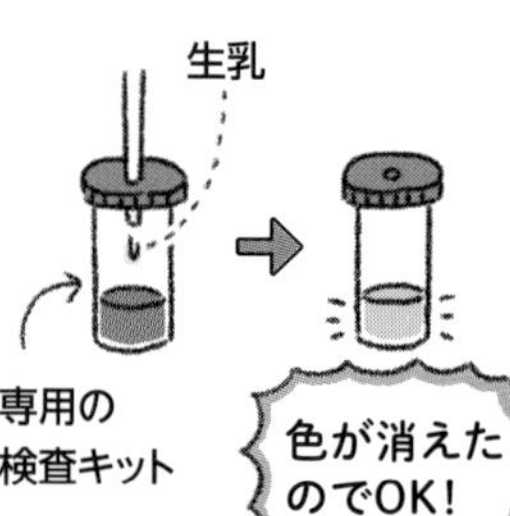
生乳
専用の
検査キット
色が消えたのでOK!

外観検査

見た目や香りなどを人の目でチェックする

今日の生乳はどうかな〜

タンク
ドドド
タンクローリー
ミルク

❶ 生乳の受け入れ

しぼりたての国産生乳が毎日150t以上届く

鮮度の検査

酸度（すっぱさ）を測定することで、新鮮な生乳かどうかを調べる

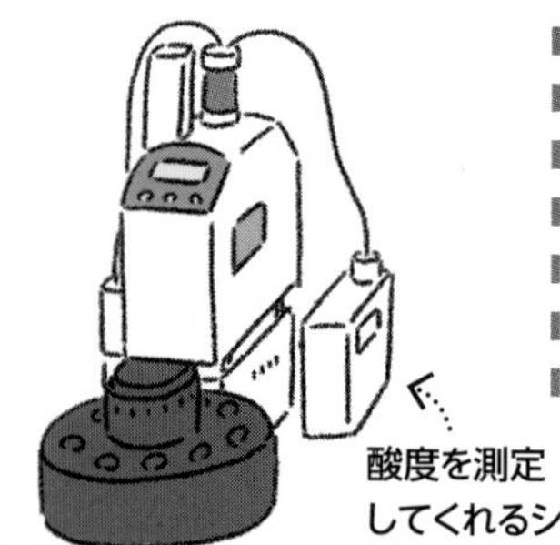

酸度を測定してくれるシステム

成分検査

特殊な装置を使って生乳の乳脂肪分の量が基準内かチェックする

ミルコスキャン
様々な乳成分を測定できる

カルピスウォーター
じゃなくて
原液（希釈用）の方ね

カルピス菌とは…

乳酸菌と酵母で構成されている。それぞれの活動（発酵）によってカルピスの味や香りが作られていく

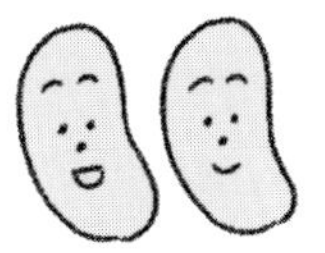

乳酸菌
カルピス特有の「酸味」を作る

酵母
カルピス特有の「香り」を作る

乳脂肪分の検査

スキムボトルという特殊な容器を使って、脱脂乳中の乳脂肪の量を測定する

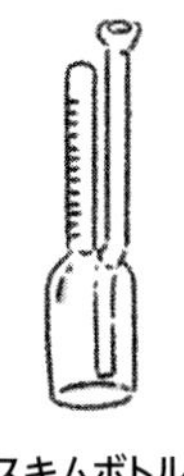

スキムボトル

しっかりと
脱脂できたかを
検査してるんだ
こんなの
初めて
見た〜

❸ 一次発酵

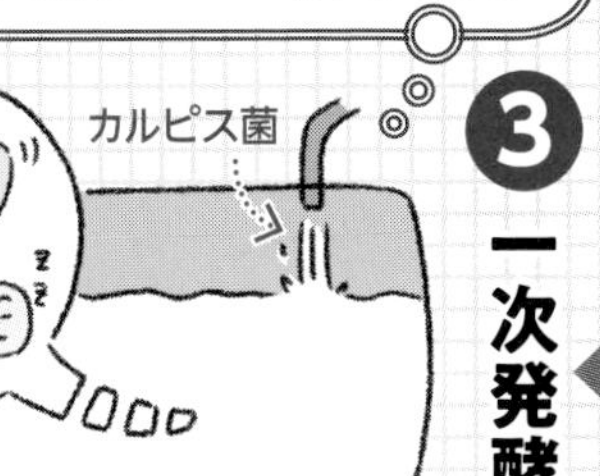
乳酸菌
カルピス菌
酵母

脱脂乳にカルピス菌を加えた後
乳酸菌が活動しやすい温度にして
酸っぱい味（乳酸）を作る

❷ 脱脂

中でぐるぐる
回転している
生乳
クリーム
ゴゴゴ
ゴゴゴ
脱脂乳

遠心分離機で生乳を
脱脂乳とクリームに分ける

菌数の検査

顕微鏡で乳酸菌や酵母の数をチェックする。これによって発酵がちゃんと進んでいるかがわかる

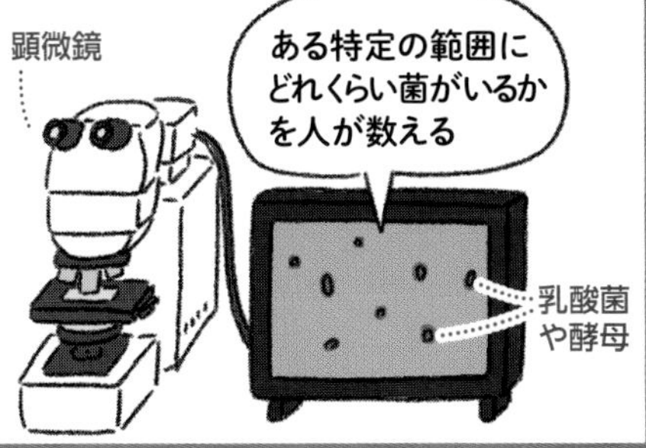
顕微鏡
ある特定の範囲に
どれくらい菌がいるか
を人が数える
乳酸菌
や酵母

クリームのゆくえ

カルピスに使うのは脱脂乳で
残りのクリームはバターになる！

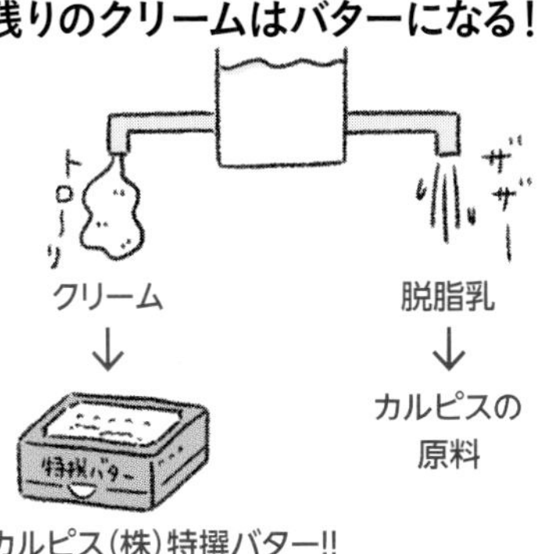
トローリ
ザザー
クリーム
脱脂乳
↓
カルピスの
原料
特撰バター

カルピス（株）特撰バター!!

※正確には生乳から水分と乳脂肪分を除いた乳成分のこと

充てん品の外観検査

ボトルのラベルがきっちりはられているかを特殊な機械で瞬時に検査する

バババババ

無脂乳固形分(SNF)※の検査

SNFとはたんぱく質、糖質などの栄養分のことで、この量が基準内かを法律に定められた方法で検査する

4 二次発酵

乳酸菌
酵母

砂糖を加えた後、酵母が活動しやすい温度にして、カルピス特有の香りを作る

5 充てん

できあがったカルピスを加熱殺菌し、容器に充てん

6 出荷

各種数値測定

pHや糖度、酸度などの値を測定し、それぞれが基準内に入っているかを確認する

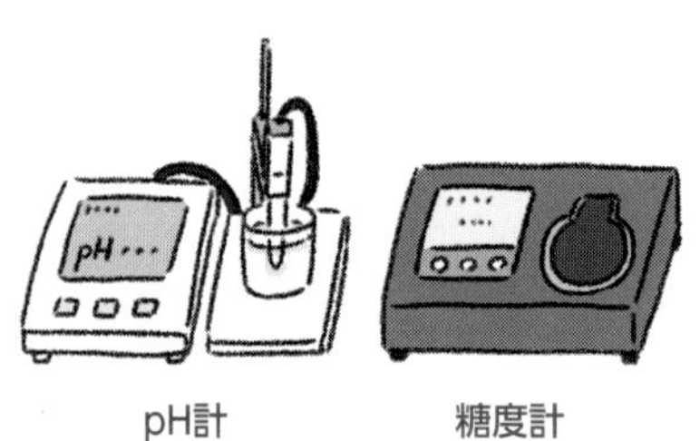

pH

pH計　糖度計

官能検査

味や香り、見た目に問題がないかをパネリストがチェックする。完成品だけでなく、一次発酵後などの途中のものも確認している

スン
スン
原液のまま味をチェックする人もいるよ
あまそ〜

いや～
乳製品ならではって
感じの検査が
いろいろあったな～
SNFなんて
知らなかったね
てく
てく
てく
SNFは
乳等省令でも
定められている
重要な値なんだ

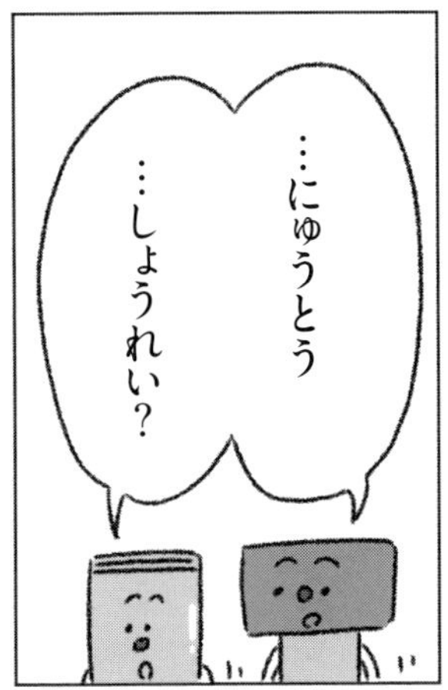
…にゅうとう
…しょうれい?

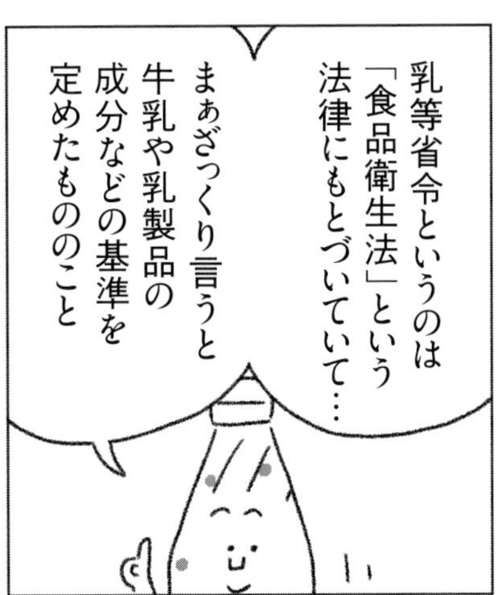
乳等省令というのは
「食品衛生法」という
法律にもとづいていて…
まぁざっくり言うと
牛乳や乳製品の
成分などの基準を
定めたもののこと

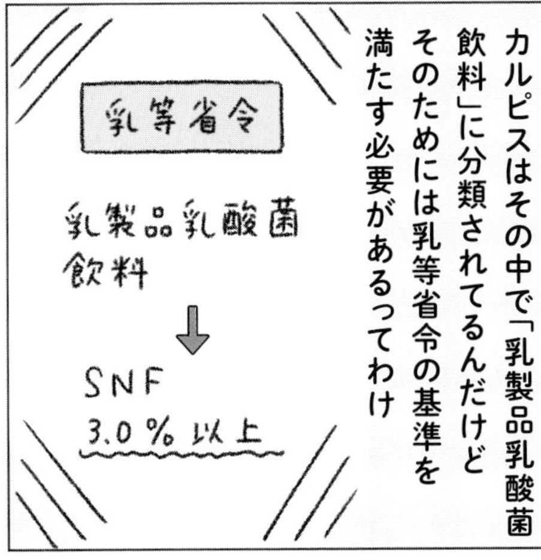
カルピスはその中で「乳製品乳酸菌
飲料」に分類されてるんだけど
そのためには乳等省令の基準を
満たす必要があるってわけ
乳等省令
乳製品乳酸菌
飲料
SNF
3.0%以上

へ～
それはよりしっかり
検査する必要が
あるね～
まぁ、どの検査も
重要であることは
変わりないけどね

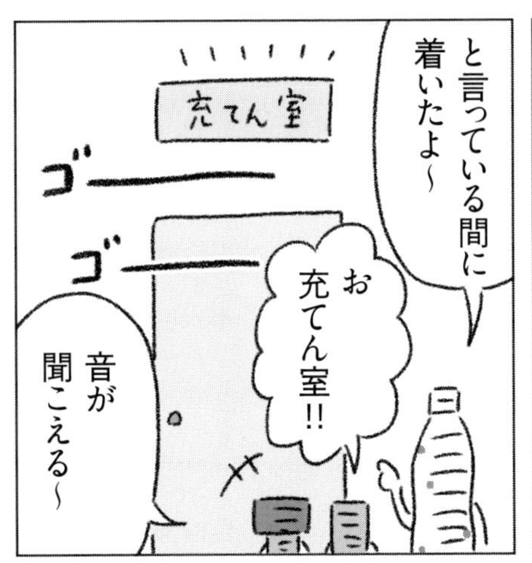
と言っている間に
着いたよ～
充てん室
ゴ――
ゴ――
お
充てん室!!
音が
聞こえる～

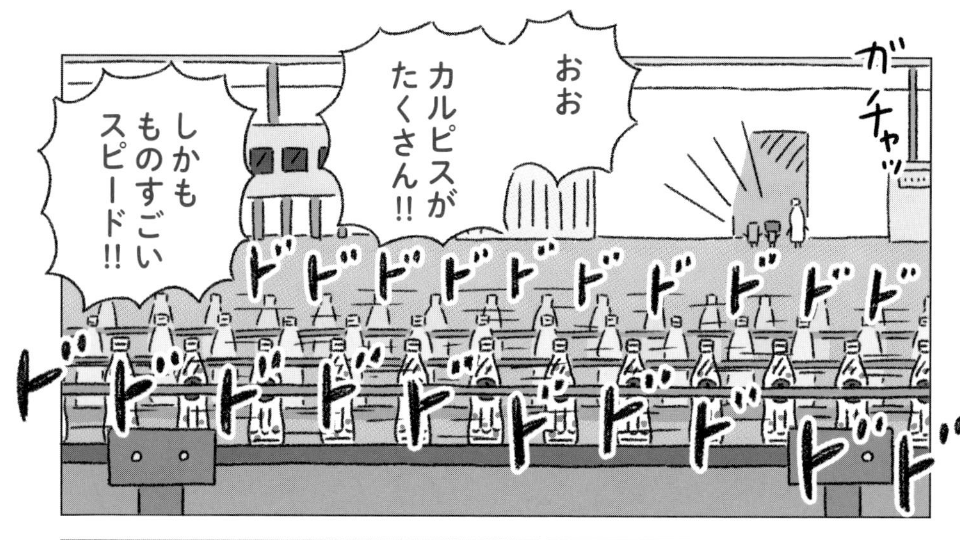
ガチャッ
おお
カルピスがたくさん!!
しかもものすごいスピード!!
ドドドドドドドドドド
ドドドドドドドドドド

あれ？何かあそこでピカピカしてる
あぁ、あれは外観検査機だね
ピカ
ピカ
ピカ

外観検査機の中(イメージ)
中には、カメラが7台並んでいて、カルピスが通る間に写真を何枚も撮って…
パシャ
パシャ
パシャ
パシャ
パシャ
カルピス

ラベルがズレてないか逆さになってないかなど外観に異常がないかを内蔵のコンピューターがほんの一瞬で判断してるんだ
外観不良の例
上下逆さま
ズレ
密着不良
万が一、異常があればそれを取り除く作業も同時にやってるね

つまりは
目で見て、良いか悪いかを検査するということだよね
うん！
同じ観察する者として負けてらんない！
よっ
ほっ
ドドドドドドドドド
?
ピョ
ピョ
いざ
勝負!!
ドドドドド
スッ スッ スッ スッ
スッ スッ ス…
外観検査機
すごすぎる〜〜
ハァ
ハァ
ハァ
ハァ
1分で500本
流れてるからね…
ムリ
ムリ
ムリ〜
ドドドド
速すぎ…
ヘナ
ヘナ
ヘナ
ヘナ

炭酸飲料

取材先：アサヒ飲料株式会社　明石工場

よろしくねー

ようこそ
アサヒ飲料明石工場へ
Welcome to Akashi Factory

三ツ矢サイダーくん
よろしく〜

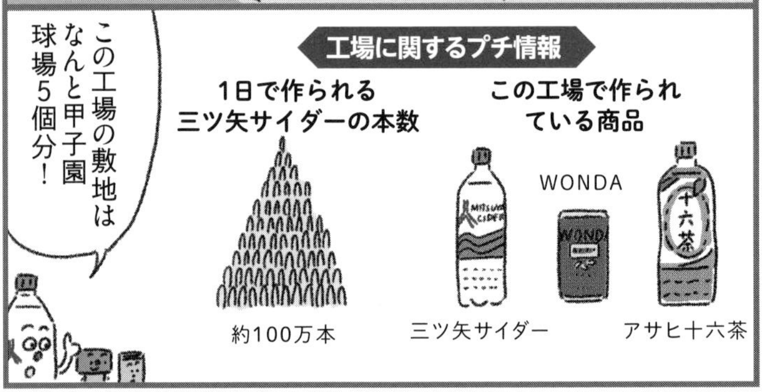

工場に関するプチ情報

この工場の敷地は
なんと甲子園
球場5個分！

**1日で作られる
三ツ矢サイダーの本数**

約100万本

**この工場で作られ
ている商品**

三ツ矢サイダー

WONDA

アサヒ十六茶

ドーン
わ〜
大きい
タンク〜!!
これは
原料となる水を
ためるタンクさ
この水を
ていねいにろ過を
重ねてキレイにする
そうして
三ツ矢サイダーに
最適な水にしてから
使うんだよ
手間が
かかってるね〜

品質検査のポイント

PETボトルに
関する検査も
いろいろあるよ

- 内容量は表示通りに入っているか
- PETボトルの性能（耐圧性、強度など）
- 香り
- 印字内容（賞味期限など）
- 味
- 炭酸ガスの量
- ラベルはズレてないか
- 外観
- 安全性

あ、あとこの工場で
PETボトル自体も
作ってるって知ってる？
え？
そうなの？

プリフォームっていう
PETボトルのもとに
なるものがあって
容器に関する検査も
いっぱいやってるよ〜
プリフォーム
早く見たい〜

炭酸飲料の検査項目

プリフォームの受け入れ検査

プリフォームとはPETボトルの前段階のもので試験管のような見た目と大きさ。各種寸法だけでなく水分率も検査することで善し悪しを判断する

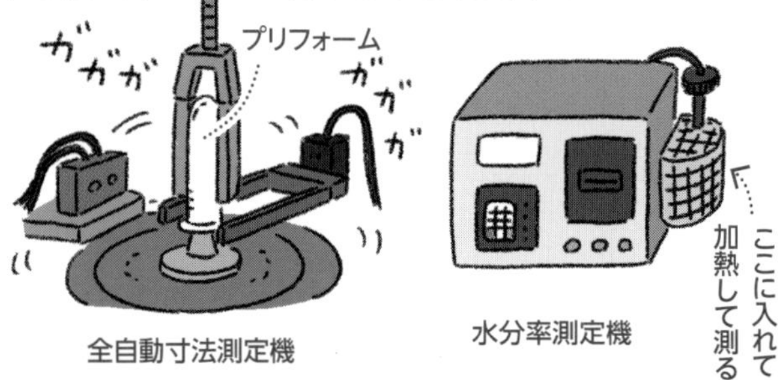

ガガガ
プリフォーム
ガガガ
ここに入れて加熱して測る
全自動寸法測定機
水分率測定機

1 材料の受け入れ

プリフォーム

プリフォームというPETボトルの材料が届く

2 材料の成形

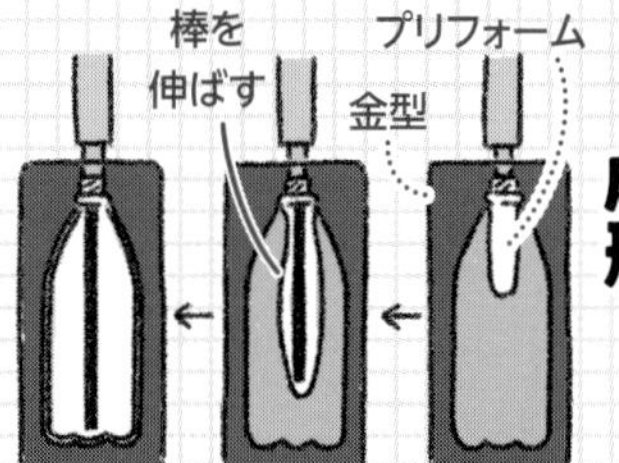

棒を伸ばす
プリフォーム
金型

プリフォームを加熱し棒を当てながら空気を入れてふくらませる

PETボトルの性能検査

正しく成形できたかを、容量や強度など様々な面からチェックする

耐衝撃検査

ドドドドド

容量検査

ぐぐぐぐ

強度検査

シュ
プク

耐圧検査

プリフォームをふくらませるとPETボトルになるよ

ろ過後の水の各種検査

水が正しくろ過されたかを
人と測定機器、両方からチェックする

うん
ちゃんと塩素も
抜けておいしい…

官能検査

デジタル残留塩素テスター

残留塩素の
濃度測定

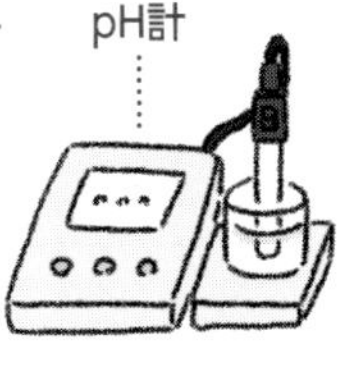

pH計

pH測定

アサヒ飲料では
ろ過のことを
「水をみがく」と
呼んでいるよ

お〜
良い表現!

3 水のろ過と硬度の調整

硬度の調整
精密ろ過2種
イオン交換樹脂2種
活性炭ろ過
原料水
砂ろ過

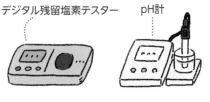

何重ものろ過方法を組み合わせ、水をきれいにした後、
炭酸ガスとの相性がよくなるように水の硬度を調整する

硬度測定

水の硬度が基準内に
なっているかを測定する

JISで定め
られている
方法で行う
ピュ

硬度とは…

水質を表す指標の1つで
含まれているカルシウムと
マグネシウムの合計量のこと。
硬度の高いものを硬水
低いものを軟水と呼ぶ

カルシウムや
マグネシウム

硬水
ヨーロッパや北米に多く
独特のクセがある。
せっけんが泡立ちにくい

軟水
日本の水のほとんどが該
当。クセが少ない
(三ツ矢サイダーは軟水)

温度が大事!

炭酸ガスのような気体は温度が低い方が液体に多くとける。そのため、ここの工程では温度管理を徹底している

炭酸ガスがとける量 少
炭酸ガスがとける量 多
温かい水
冷たい水

官能検査

工程❹の調合後や工程❺の炭酸ガスをとかした後など、各ポイントでパネリストが味や見た目などをチェックする

ゴクリ
スンスン
ジー
味チェック
香りチェック
外観チェック

❹ 調合

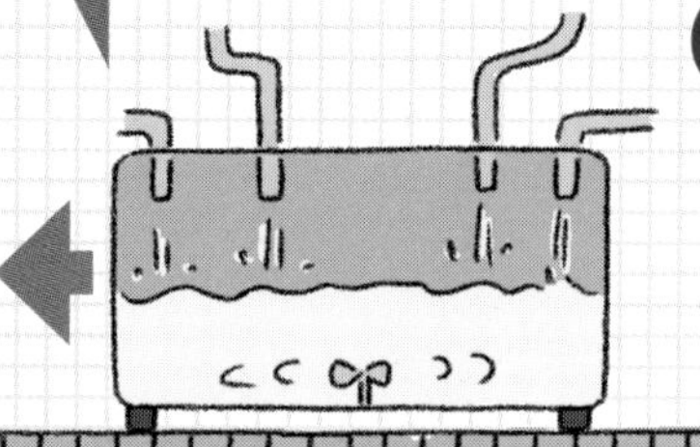

硬度調整した水に香料、酸味料、糖を混ぜ合わせる

❺ 炭酸ガスの溶解・充てん

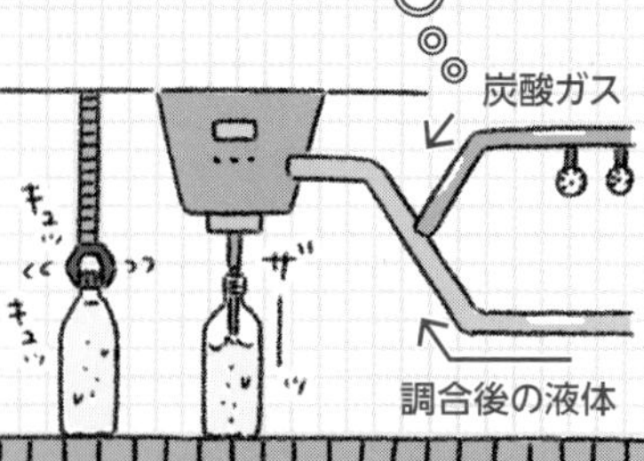

炭酸ガス
キュッ
キュッ
ザー
調合後の液体

圧力を調整した炭酸ガスを、冷やした❹の液体にとかし、PETボトルに充てん

充てん品の圧力検査

中の圧力を測定することで、炭酸ガスがとけている量を確認できる

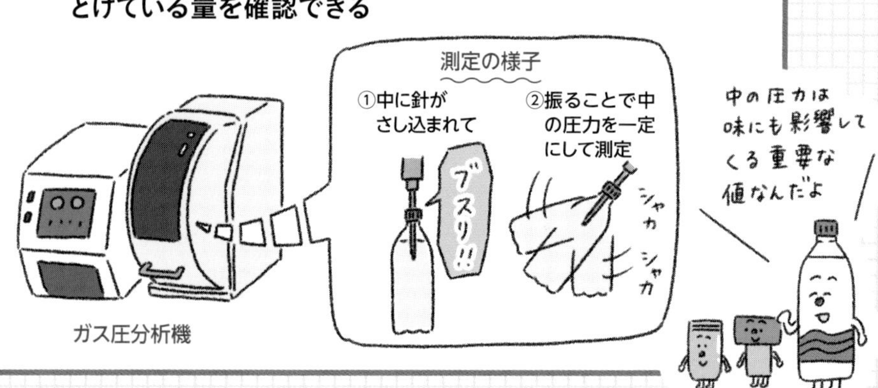

測定の様子
①中に針がさし込まれて
ブスリ!!
②振ることで中の圧力を一定にして測定
シャカ
シャカ
ガス圧分析機
中の圧力は味にも影響してくる重要な値なんだよ

微生物検査

完成品の中に菌が混入していないかどうかをチェックする。クリーンルームという無菌室で行われる

どれどれ…
培養したシャーレ

各種数値測定

糖度や酸度、pHなどの数値が基準内に入っているかを機器によって測定する

糖度計
酸度測定機

7 出荷
6 ラベリング
ラベル
常温
三ツ矢サイダー

冷たいサイダーを常温に戻した後、ボトルについた水滴を取り、ラベルを接着させる

出荷品の定期検査

商品の一部を保管しておき、出荷後、各タイミングで確認し、異変がないかを検査する

出荷から1カ月後
3カ月後
6カ月後
9カ月後
賞味期限の1.5倍まで保管
(三ツ矢サイダーの賞味期限は6カ月)

キャップの閉まり具合検査

トルク※メーターという特殊な機器によって、キャップがきつすぎたり、ゆるすぎたりしないかをチェックする

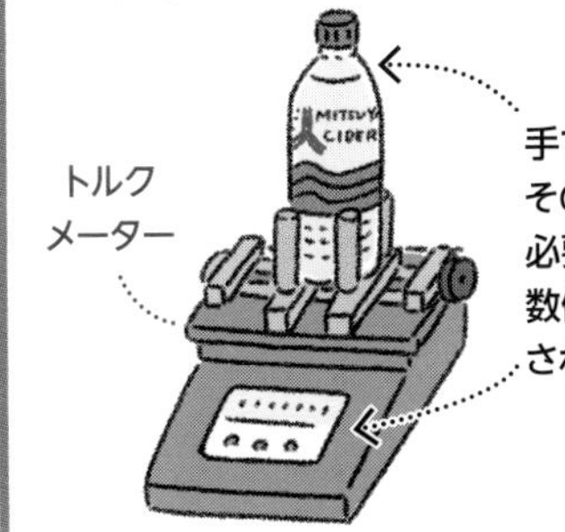
トルクメーター
手で開栓するとそのときに必要な力が数値として表示されるしくみ

※トルク：回転方向にかかる力

ウィーン
材料検査室
ウィーン
PETボトル
全自動測定機
PETボトル
耐圧測定機
プリフォーム
寸法測定機
ウィーーン
ウィーーン
ウィーーン
ここは
PETボトルに
関する検査を
するところなんだ
大きい
機械が
いっぱい!!
水分率測定機

あ
あれって
そう!
PETボトルに
なる前のもの
プリフォームだね
検査用
プリフォーム

これが
PETボトルに
なるなんて
おもしろいなぁ
…でも何で
PETボトルの
状態で届かない
んだろ…?

それは
プリフォームの方が
環境への負荷が
小さいからだよ
環境?

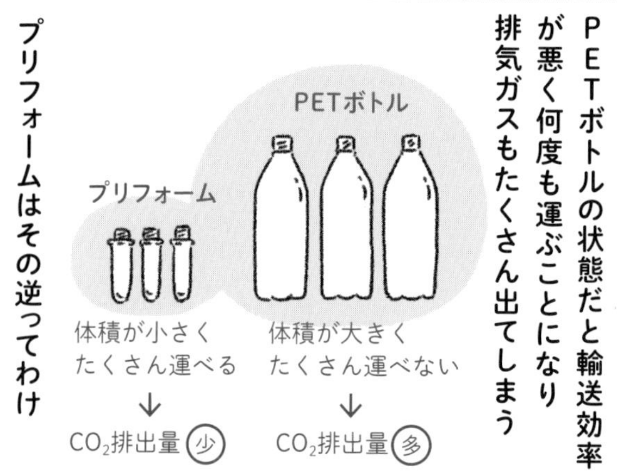
PETボトルの状態だと輸送効率
が悪く何度も運ぶことになり
排気ガスもたくさん出てしまう
PETボトル
プリフォーム
体積が小さく
たくさん運べる
↓
CO_2排出量 少
体積が大きく
たくさん運べない
↓
CO_2排出量 多
プリフォームはその逆ってわけ

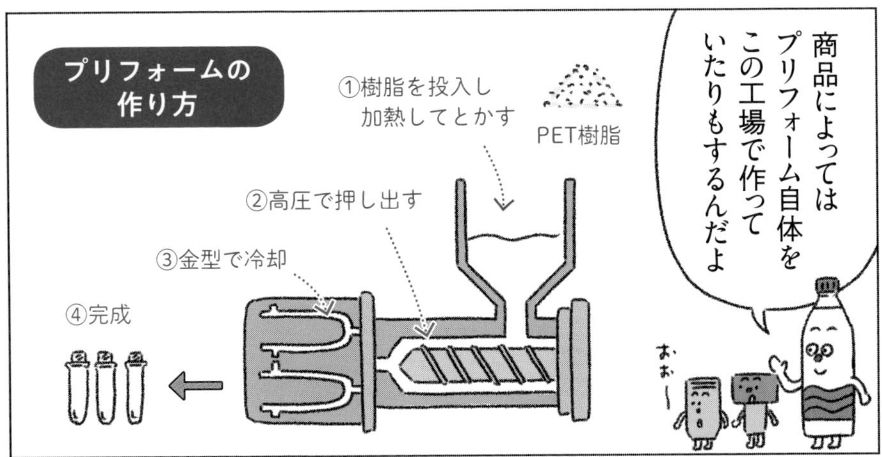
商品によってはプリフォーム自体をこの工場で作っていたりもするんだよ
プリフォームの作り方
①樹脂を投入し加熱してとかす
PET樹脂
②高圧で押し出す
③金型で冷却
④完成
おぉ～

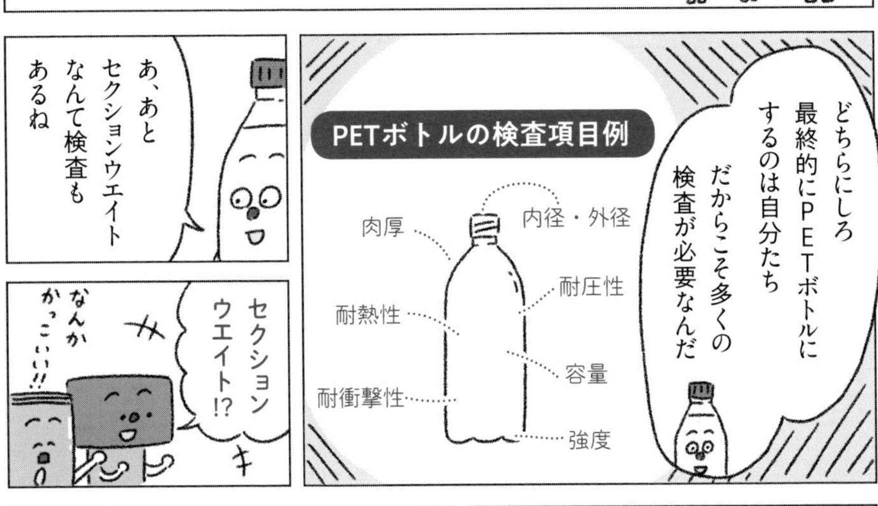
どちらにしろ最終的にPETボトルにするのは自分たち
だからこそ多くの検査が必要なんだ
PETボトルの検査項目例
肉厚
内径・外径
耐圧性
耐熱性
容量
耐衝撃性
強度
あ、あとセクションウエイトなんて検査もあるね
セクションウエイト!?
なんかかっこいい!!

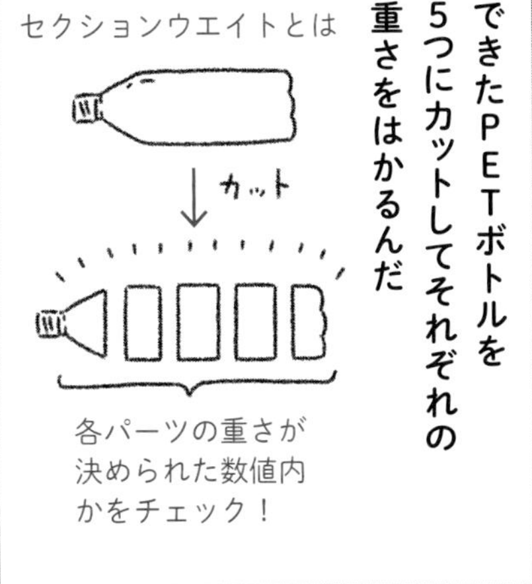
できたPETボトルを5つにカットしてそれぞれの重さをはかるんだ
セクションウエイトとは
カット
各パーツの重さが決められた数値内かをチェック!

容器の検査をここまでやってたなんて知らなかったな～
ウィー
ガシャン
中の飲み物を守る大切なものだから気が抜けないのさ

品質検査室
着いた
次はここだ
おぉ!!

ここは
飲料に使う原料や
完成品の検査を
するところだよ
広〜〜い

糖度計やpH計
いろんな機器が
並んでるね

あれ?
…あの部屋は?
あぁ、あそこは
クリーンルームさ

微生物検査をする部屋で
菌がいない環境にしてる…
無菌状態〜
専用
キャップ
マスク
手袋
専用
の服
専用くつ
だから中に入るときは
服装にもきびしい
決まりがあるんだ

そっかそっか
菌があったら検査
できないもんね
そういうこと

いや～
それにしても
機器がいっぱい
あるなぁ
本当だよね～

これらの
測定機器たちも
自分たちで
検査してるんだよ
え？
全部？

その通り！
どんな測定機器も
ずっと使っていると、正確な
値からズレる可能性がある
ピ
この値…
ちょっと自信
ないなぁ…
pH 7.45
検査前

だからそういうことが
起きないよう、定期的に校正、
部品の取りかえをするんだ
ピ
この値
自信アリ!!
pH 7.50
検査完了

そういう検査も、ここの
メンバーの大切な仕事なのさ
pH
計よしっ
カキ
カキ
機器
チェック表

1本の
飲料にも…
多くの努力が
つまってるんだなぁ

入りきらなかったこぼれ話

適正な力加減で
段ボールを開けられるかも
出荷前に確認してるよ
測定機
asahi
ミツ矢サイダー
お〜
そんなことも！

シヤチハタ

●ネーム印

ネーム印

取材先：シヤチハタ株式会社　稲沢工場

Shachihata

今日はよろしく〜

よろしく！

工場に関するプチ情報

この工場ではハンコ以外にも様々なものが作られている

ベーシックタイプ

ペン型

角型

各種ハンコ

補充インキ

朱肉・スタンプ台など

この工場では1年間で300万本ものハンコが作られてるんだ

300万本!?

何と言ってもまずボクの最大の特長は朱肉やスタンプ台がなくても押せることなんだけど
そのしくみって知ってる？
う〜ん…

実は文字部分（ゴム）には小さな無数の穴が開いてて下からインキを吸い上げるしくみになってるんだ

この「ゴムに穴を開ける方法」がまたおもしろいんだけどそれは後のお楽しみさ

スポンジ状ゴム

インキタンク

品質検査のポイント

印面に関する部分はもちろん
ボディやキャップの検査もしてるんだ

１回のなつ印時に消費されるインキの量

印影（ハンコを押した跡）の状態
（にじみや欠けがないか）

ロゴマークの位置
（名前の上部にあるか）

インキの色

インキ補充用の開閉部分のかん合
（適切な力で取り外せるか）

連続なつ印時のインキ回復性

キャップのかん合

彫刻の精度

印面の厚み

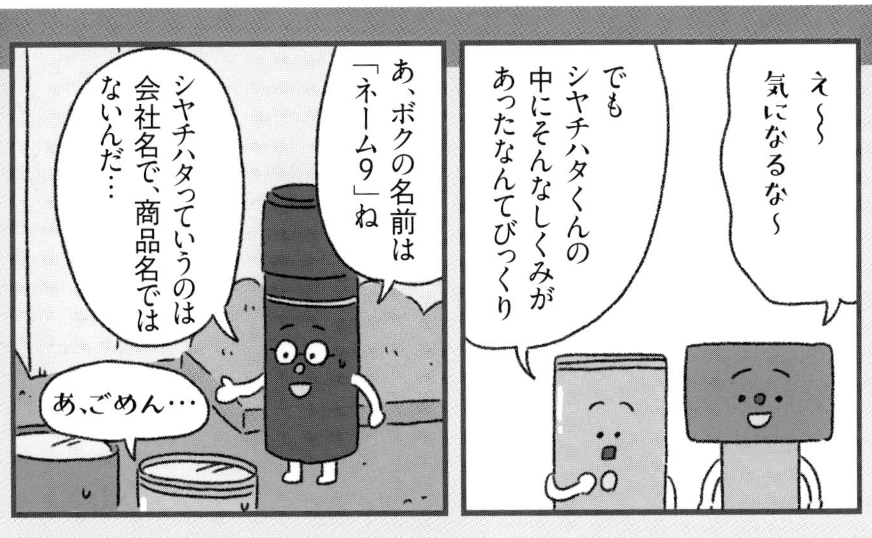
え〜
気になるな〜
でも
シヤチハタくんの
中にそんなしくみが
あったなんてびっくり
あ、ボクの名前は
「ネーム9」ね
シヤチハタっていうのは
会社名で、商品名では
ないんだ…
あ、ごめん…

ネーム印の検査項目

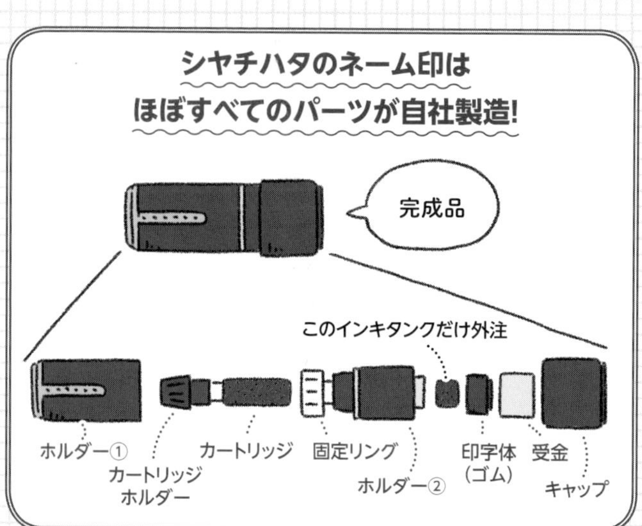
シヤチハタのネーム印は
ほぼすべてのパーツが自社製造!
完成品
このインキタンクだけ外注
ホルダー①
カートリッジホルダー
カートリッジ
固定リング
ホルダー②
印字体（ゴム）
受金
キャップ

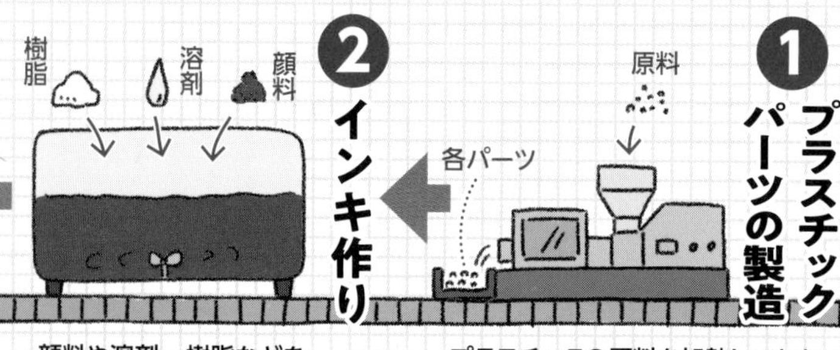
1
プラスチックパーツの製造
原料
各パーツ
2
インキ作り
樹脂
溶剤
顔料

顔料や溶剤、樹脂などを加熱しながら混ぜて、均一なインキを作る

プラスチックの原料を加熱してとかす。そして、金型に入れて冷やし固めて各パーツを作る

かん合検査※

キャップが適切な力で本体から取り外せるかを機械で測定する

①本体にキャップをはめて、機械にセット

②測定器が一定の力で引っ張る

カポッ

③外れたときの数値を読む

この検査はキャップ以外にもインキ補充用の開閉部分でも行う

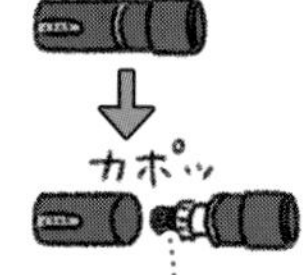
カポッ
インキのカートリッジ

※かん合とは軸と穴のはまり具合のこと

ボクは大きく分けて①キャップホルダーなどのプラスチックパーツ②インキ③ゴム部分（印字体）でできているんだ

なるほど～

インキの各種検査

標準品
製造品
Shachi

色調

特殊な道具を使って
均一にぬり、標準品と
差がないかをチェック

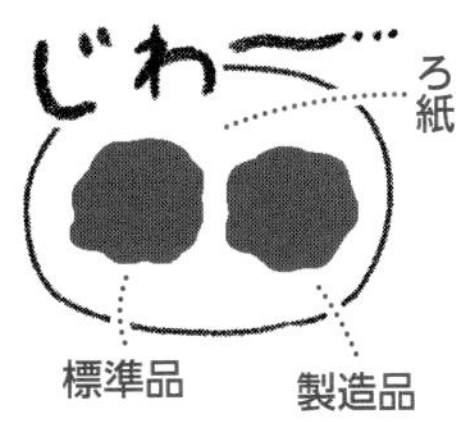
じわ〜…
ろ紙
標準品
製造品

溶解性

ろ紙の上に滴下し
広がり方や原料のとけ残り
がないかをチェック

ウィーーーン

粘度

製造品の粘度を機械に
よって測定し、基準内か
どうかチェック

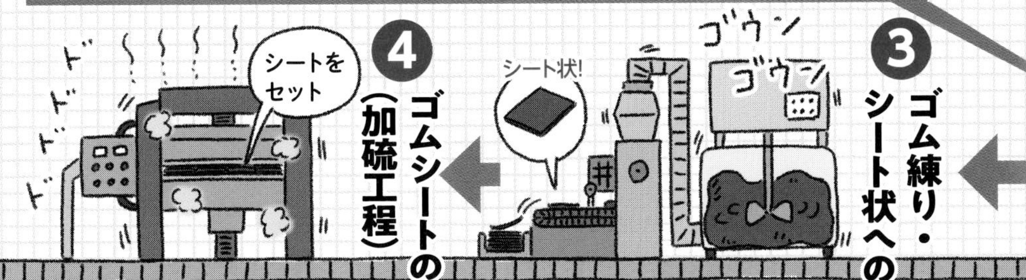
ゴウン
ゴウン
シート状!
シートを
セット
ドドドドド

③ ゴム練り・シート状への加工

原料の合成ゴムに硫黄などの薬品
を混ぜて練る。そして塩を混ぜ込
み、シート状にする

④ ゴムシートの加熱（加硫工程）

ゴムシートに圧力をかけながら
130〜150℃の熱をかけ、加硫を行う

加硫とは…

ゴム原料に硫黄を加えて熱をかけるこ
とで、ゴムならではの強い弾性と耐久
性を出す方法のこと

イメージ

加硫前

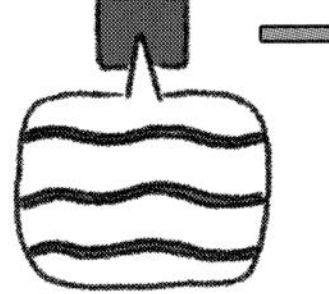

骨格がゆるい

加硫後

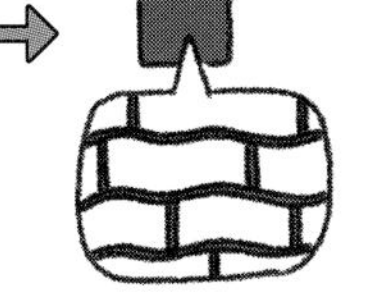

骨格が網目状に
なり強くなる

この③の工程で
混ぜる塩が
すごく重要な
役目を果たすんだ

え?
ゴムに塩を
入れるの?

厚さ検査

センサーによってゴムシートの厚さを精密に測定し、基準内になっていることを確認する

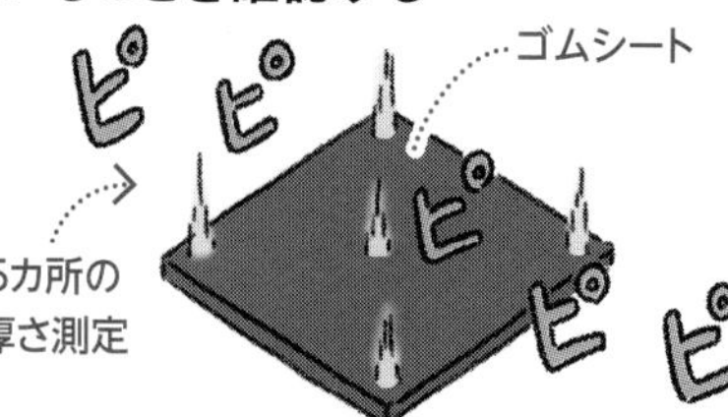

ピ
ピ
ゴムシート
ピ
5カ所の
厚さ測定
ピ
ピ

ゴムシートの厚さはスタンプ時のインキ消費量に大きく影響するため、検査の中でも特に重要

脱塩検査

ゴムシート内の塩がきっちりと抜けているかを薬品を使ってチェックする

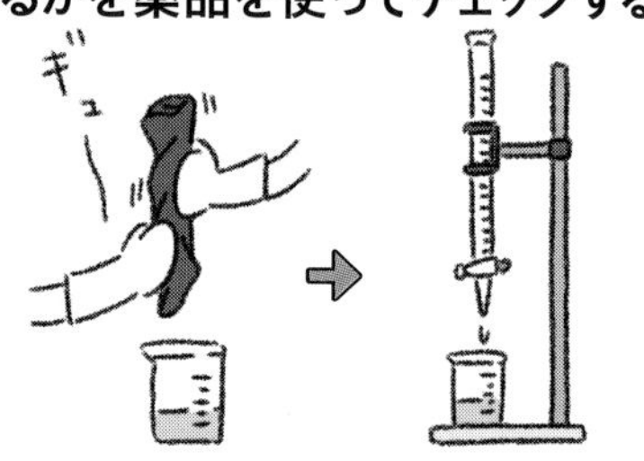

ギュ

①湯につけていたゴムシートをしぼり、中の水を取り出す

②薬品を滴下したときの色の変化で塩がないことを確認

5 ゴムシートからの脱塩

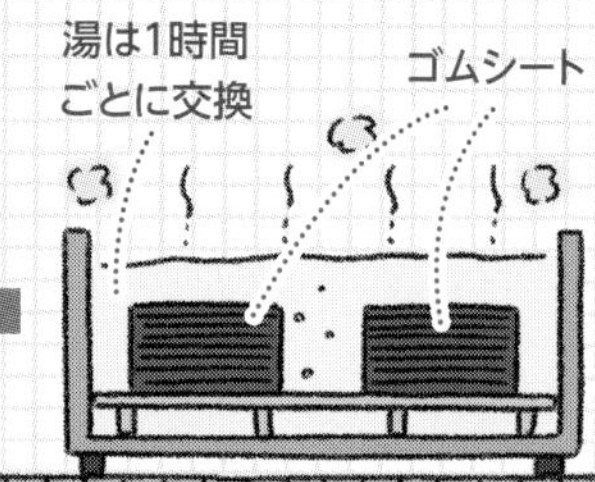

湯は1時間
ごとに交換
ゴムシート

湯にゴムシートを入れ、一晩かけて中の塩をすべてとかし出す

6 ゴムシートの厚さ調整

ピピピピ
シュイイイン

ゴムシートの表面を特殊な機械によって削り、厚さが基準内になるようにする

脱塩後のゴムシートには、塩がもともとあった場所に無数の細かい穴が残る。これによってゴムがスポンジ状になり、インキを吸い上げることが可能になる

イメージ

脱塩前

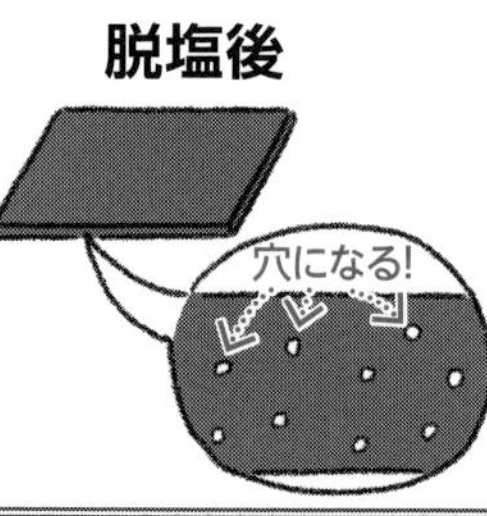

脱塩後
穴になる!

塩

この穴を作るために塩を入れてたのか!
お～!
その通り!!

外観検査

商品の中に異物が入っていないか、バーコードが合っているかなどを手作業でチェックする

Shachihata
ピンポン

印影検査

なつ印した画像を検査員が1品1品チェックし、文字の欠けやにじみがないかを確認する

①紙になつ印し、それをカメラで撮る
②その画像をチェック
上谷

7 文字部分の彫刻・型抜き・インキ含浸

レーザ彫刻
型抜き
容器に入れてインキに浸す

ゴムシートにレーザで文字を彫り洗浄。その後、型で抜き、インキを吸わせゴム部分は完成

8 組み立て

ゴム部分とそれ以外のパーツを組み立てて完成

9 出荷

組み立ての過程で、ロゴマークの部分を名前の上部に合わせる調整もされている

ななめ上から見た図

この部分

正面から見た図

連続なつ印検査

完成品の一部を抜き取り、5000回なつ印し、問題ないかをチェックする。さらに、そのときのインキ消費量が基準内かを確認する

(詳細は70ページ)

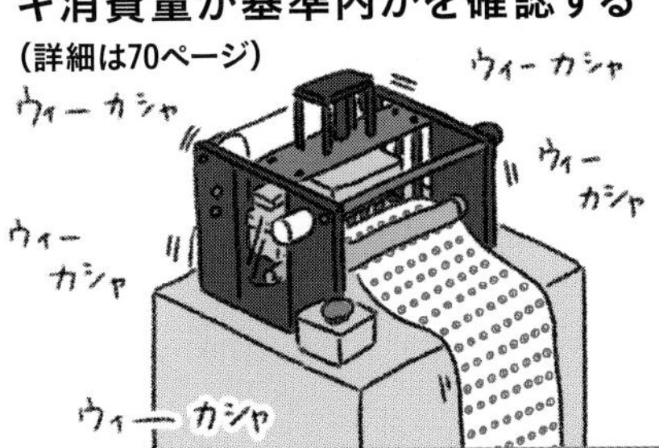
ウィーカシャ
ウィーカシャ
ウィーカシャ
ウィーカシャ
ウィーカシャ

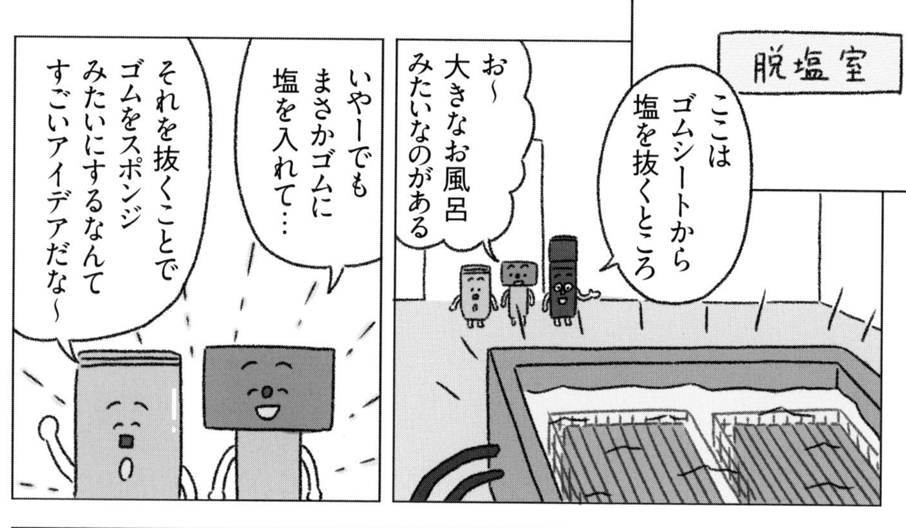
脱塩室
ここはゴムシートから塩を抜くところ
お〜大きなお風呂みたいなのがある
いやーでもまさかゴムに塩を入れて…
それを抜くことでゴムをスポンジみたいにするなんてすごいアイデアだな〜

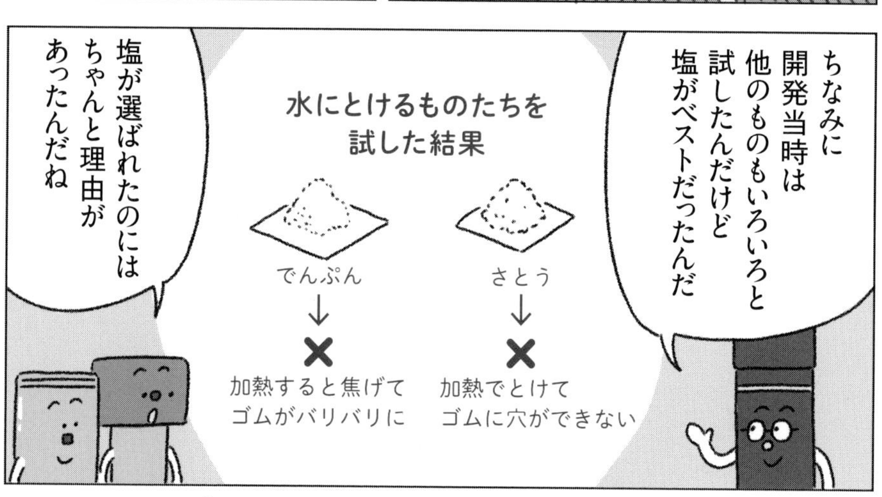
ちなみに開発当時は他のものもいろいろと試したんだけど塩がベストだったんだ
水にとけるものたちを試した結果
でんぷん
加熱すると焦げてゴムがバリバリに
さとう
ゴムに穴ができない
塩が選ばれたのにはちゃんと理由があったんだね

ガチャ
彫刻室
よし次はここ
…彫刻？
ズラーリ
おぉ機械がいっぱい
これらはゴムに文字を彫る機械たちだよ

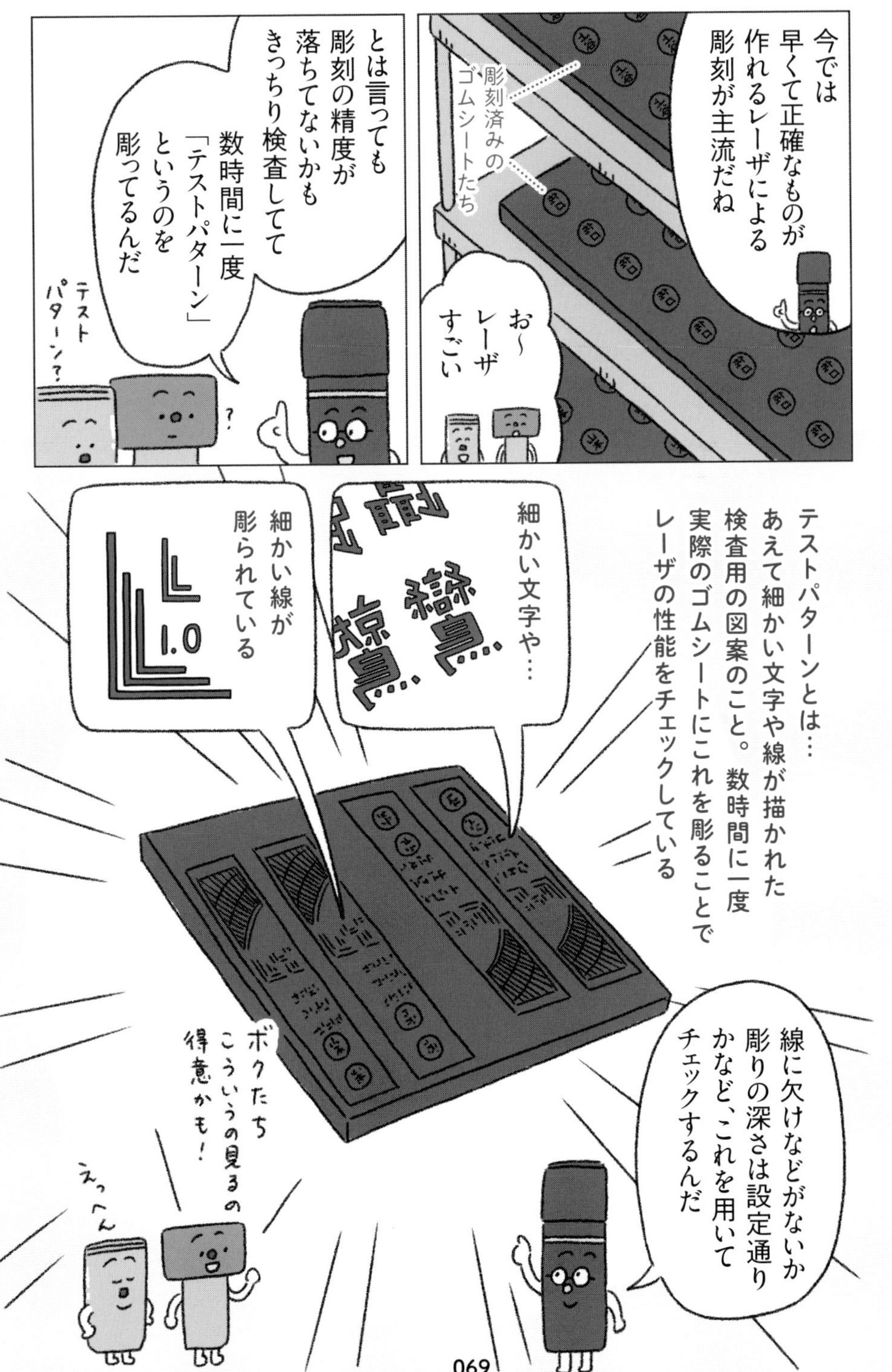

今では早くて正確なものが作れるレーザによる彫刻が主流だね
彫刻済みのゴムシートたち
お〜レーザすごい
とは言っても彫刻の精度が落ちてないかもきっちり検査してて
数時間に一度「テストパターン」というのを彫ってるんだ
テストパターン？
？
細かい文字や…
細かい線が彫られている
1.0
テストパターンとは…あえて細かい文字や線が描かれた検査用の図案のこと。数時間に一度実際のゴムシートにこれを彫ることでレーザの性能をチェックしている
線に欠けなどがないか彫りの深さは設定通りかなど、これを用いてチェックするんだ
ボクたちこういうの見るの得意かも！
えっへん

ドーン

そして最後は
この部屋
なつ印検査室
でーす!!

この機械が
連続で5000回
なつ印してくれるんだ

おお〜!

連続なつ印検査の方法

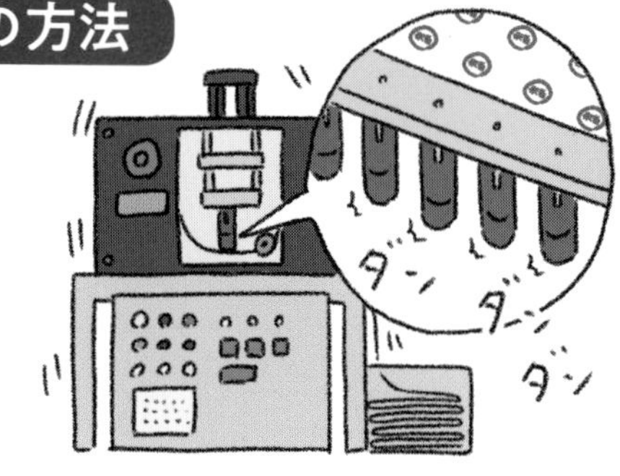
ダン
ダン
ダン

①完成品を12本用意し
機械で5000回なつ印する

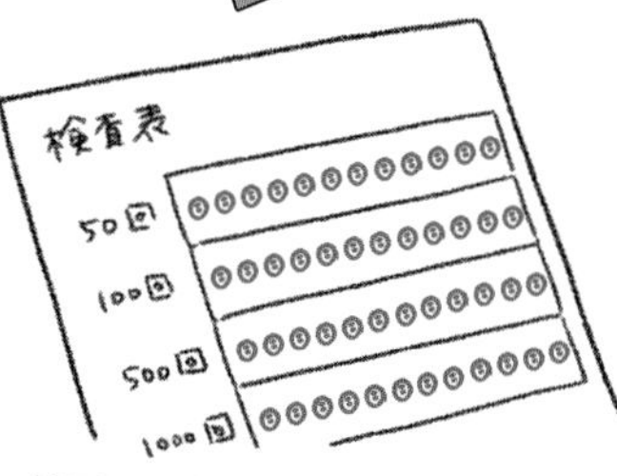
検査表
50回
100回
500回
1000回

②50、100、500、1000、5000回のそれぞれの時点で印影をチェックし、問題ないか確認

1000回
5000回
10分後
若干うすくなるけど…
回復してる!
OK!

③5000回まで押すと若干インキがうすくなるため、10分間待ち、再度なつ印する。そのときのインキ回復性をチェック

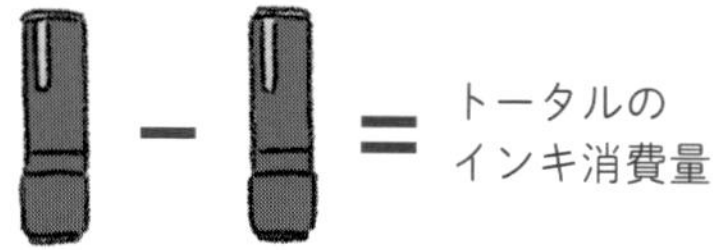
検査前
検査後
トータルの
インキ消費量

④最後にトータルで消費したインキ量を測定し、基準内かどうかをチェックする

へー
回復性っていうのも
チェックするんだね

うん
さすがに連続で
5000回ともなると
少しインキが
うすくなっちゃう
からね

あ

検査表

50回

100回

斎藤

よく見てみると
文字はすべて
「斎藤」ってなってる

ああ
そうそう

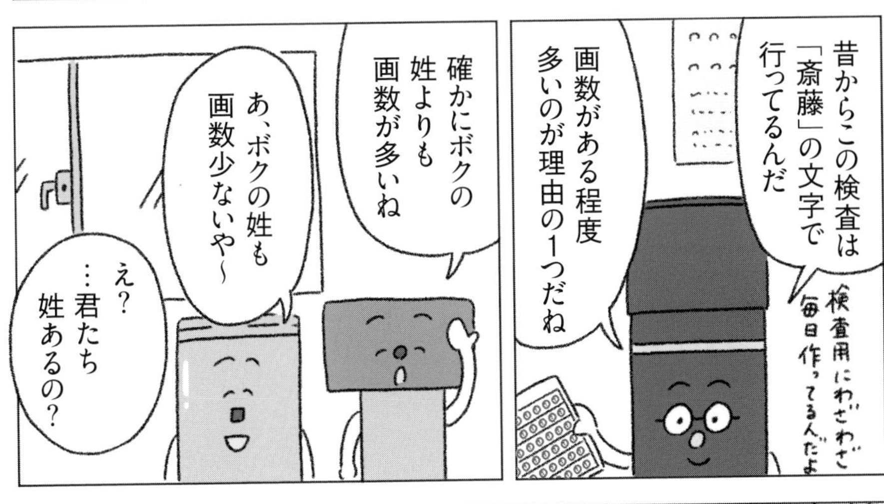
昔からこの検査は
「斎藤」の文字で
行ってるんだ
画数がある程度
多いのが理由の1つだね
検査用にわざわざ
毎日作ってるんだよ
確かにボクの
姓よりも
画数が多いね
あ、ボクの姓も
画数少ないや~
え？
…君たち
姓あるの？

あるよ！
「接眼」!!
「対物」!!

え…
ってことは
「レンズ」が名前…？
その通り!!
意外な事実が判明したのでした…

入りきらなかったこぼれ話

彫刻の精度を調べる
このテストパターン※
彫刻の角度まで
チェックしてるんだ

角度もチェック

そんなところまで!?

※69ページ参照

カリモク家具

●ソファ

ソファ

取材先：カリモク家具株式会社

karimoku

イスさん
今日はよろしく!!

よろしく!

工場に関するプチ情報

ここで作られているソファは200種類以上!!

ソファ以外にもテーブルやデスクベッドやテレビ台本棚など様々な家具を作ってるよ

いろんなのがある〜

ひとまず中にどうぞー
おじゃましまーす
ウィーン
お、おしゃれ——!!

品質検査のポイント

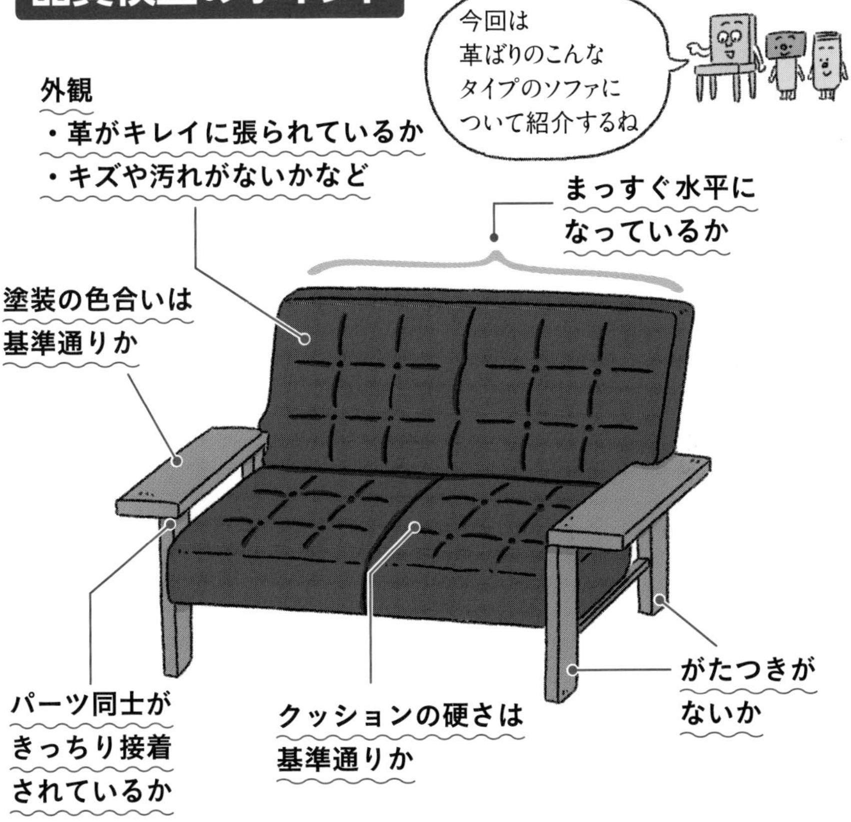

今回は
革ばりのこんな
タイプのソファに
ついて紹介するね

外観
・革がキレイに張られているか
・キズや汚れがないかなど

まっすぐ水平に
なっているか

塗装の色合いは
基準通りか

パーツ同士が
きっちり接着
されているか

クッションの硬さは
基準通りか

がたつきが
ないか

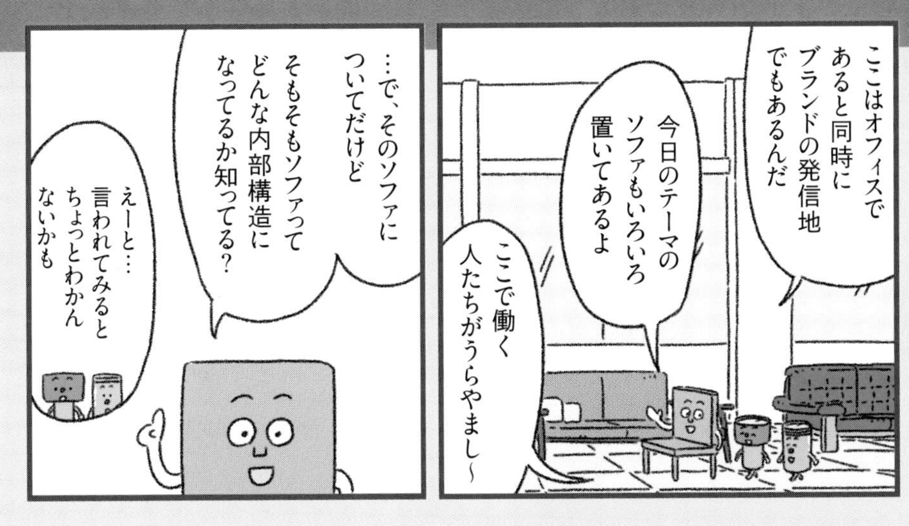
ここはオフィスであると同時にブランドの発信地でもあるんだ
今日のテーマのソファもいろいろ置いてあるよ
ここで働く人たちがうらやまし〜
…で、そのソファについてだけどそもそもソファってどんな内部構造になってるか知ってる?
えーと…言われてみるとちょっとわかんないかも

ソファの内部構造イメージ

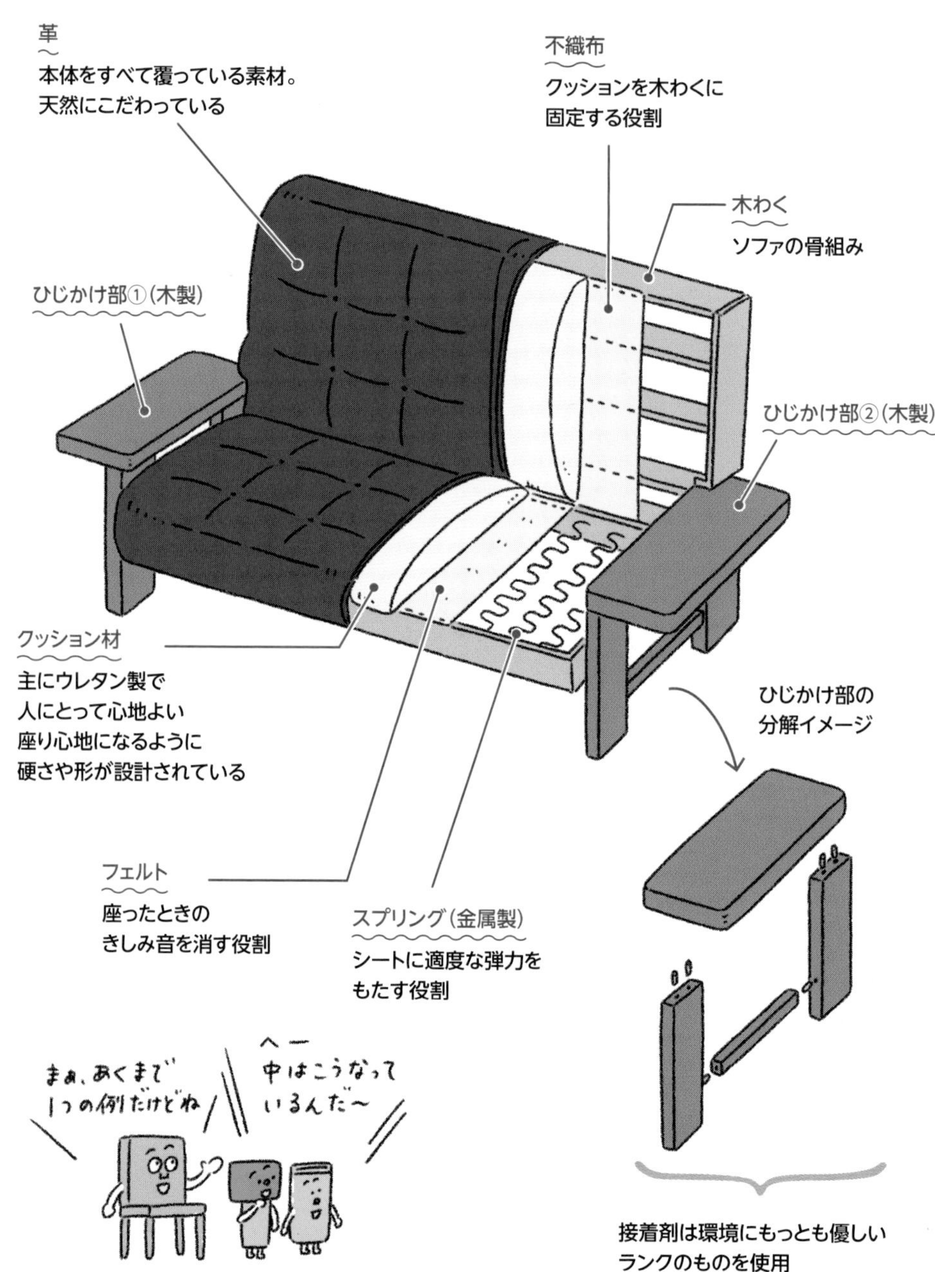
革
本体をすべて覆っている素材。
天然にこだわっている
不織布
クッションを木わくに
固定する役割
木わく
ソファの骨組み
ひじかけ部①(木製)
ひじかけ部②(木製)
クッション材
主にウレタン製で
人にとって心地よい
座り心地になるように
硬さや形が設計されている
ひじかけ部の
分解イメージ
フェルト
座ったときの
きしみ音を消す役割
スプリング(金属製)
シートに適度な弾力を
もたす役割
まぁ、あくまで
1つの例だけどね
へー
中はこうなって
いるんだ〜
接着剤は環境にもっとも優しい
ランクのものを使用

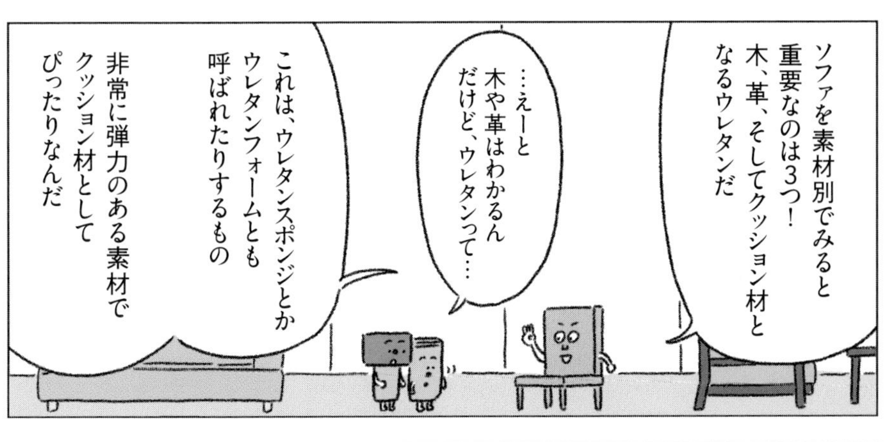
ソファを素材別でみると重要なのは3つ！木、革、そしてクッション材となるウレタンだ
…えーと木や革はわかるんだけど、ウレタンって…
これは、ウレタンスポンジとかウレタンフォームとも呼ばれたりするもの非常に弾力のある素材でクッション材としてぴったりなんだ

ちなみにカリモクは家具メーカーでは珍しく特殊な機能をもたせるウレタンについては、開発から製造までを自社で行ってる
開発から製造って…すごいなぁ
ウレタンは座り心地にダイレクトに影響するものだから、最適なものを求めて常に研究をしてるんだ

…ただ素材の中でもっとも手がかかるのは「木」だな同じように見えても硬さも色も1つ1つ微妙に違う…
あ、それ鉛筆のときに教わった!!「個体差」だよね

その通り!! しかし、最終的にはいつも均一に仕上げないといけない。…で、それを可能にするのが多くの職人さんたちなんだ

形状の微調整

ササ

検査

ササ

塗装

シャーーッ

1つ1つの木の状態を見ながらそれに合った形状加工や塗装を行い最後はその目で検査をしてるってわけさ

よーし、それでは実際に見に行ってみよう!!
オー!!

ソファの検査項目

含水率検査

木材に含まれる水分率を測定し、届いた時点での木材の状態をチェックする

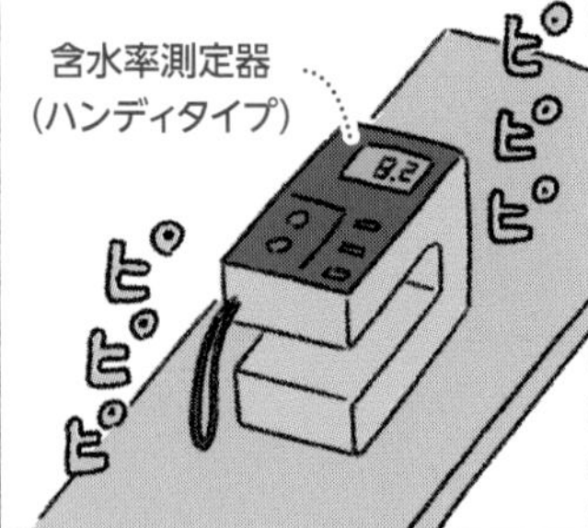

含水率測定器
(ハンディタイプ)
ピ。ピ。ピ。
ピ。ピ。ピ。

外観検査・仕分け

木材の色合いや木目、枝のあとなどを瞬時に見極め、製品や部位別に13パターンに仕分ける

これはテーブルの…
サササ
ササササ
これはイスの…

❶ 資材受け入れ・仕分け

納品された木材は用途別に仕分けられた後、6カ月ほど寝かされ、日本の気候になじませる

❷ 木取り・接着

ウィーーーン

木材を切り分けたり、接着させることで様々なパーツのもとを作る

刃もの検査

木材の切断や形状加工などに使われる刃ものが劣化していないかを調べる。場合によっては専門の職人が研磨し、刃ものをベストな状態にする

ここに刃ものをセット
刃先の拡大図

刃もの測定器

シュイイイイーン
シュイイイイー

職人による研磨作業

まずは木材パーツの工程から見ていこう

接着剤の硬化チェック

パーツを組み立てる際に使う接着剤は2液反応型で、使う分だけ少量ずつ作る。また、非常に強力な接着力だが固まるまで半日かかるため、硬化したかどうかをすぐにチェックできない。そのため、作業で使った接着剤はその都度チェック表に一部ぬっておき、それを翌日チェックすることで、ちゃんと固まっていることを確認する

2液反応型接着剤

接着剤を使ったら…

一部をぬっておいて翌日チェック

シャ
ササ
ササ
シャ
ガシャン
ガシャン
シュイーン
シュイーン

4 塗装

職人が1つ1つの状態を見極めながら、すべて手作業で塗装を施す。「塗装→やすりがけ」を何度もくり返すことで最高の見た目と手ざわりに仕上げる

3 木工加工・やすりがけ・パーツ組み立て

ある程度まで機械で削り出した後、人の手でやすりがけを行う。その後、ひじかけ部や木わくなど、各パーツごとに組み立てる

塗装後の色チェック

塗装された木材が基準通りに仕上がっているかを色見本でチェックする

ジ
ジ
色見本
塗装後のパーツ

寸法チェック

ノギスなどで寸法を測定するだけでなく、専用ゲージ（各パーツの穴に合わせて作られたチェック道具）を用いて、基準に合ったものができているかを調べる

例 この穴の位置がOKか調べたい

ぴったり!!
ゲージ
穴の位置OK!

天然キズのチェック

革には虫さされのあとや毛のあとなど、天然のキズ（カリモクではナチュラルマークと呼ぶ）がある。これを職人が1つ1つチェックし印をつけ、キズの中でも使える部分、使えない部分に分ける

ナチュラルマークの例

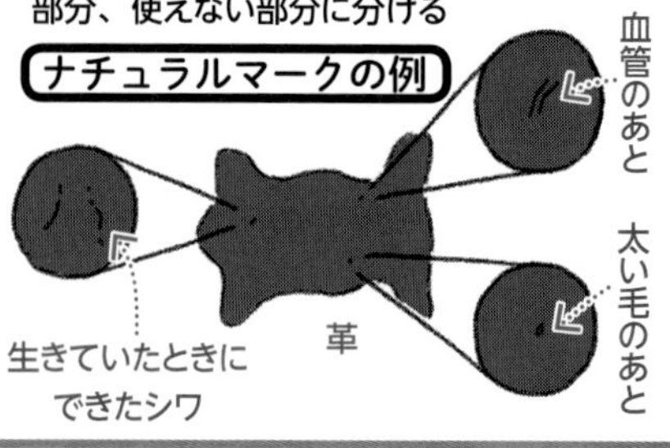

血管のあと
太い毛のあと
革
生きていたときにできたシワ

ウレタン製造のしくみ

①もとになる液体を温度管理された容器に注入

ピュ
ピュ

↓

②化学反応によってどんどんふくらんでいき…

もこ
もこもこ
もこ

↓

③容器の大きさまでふくらめば完成

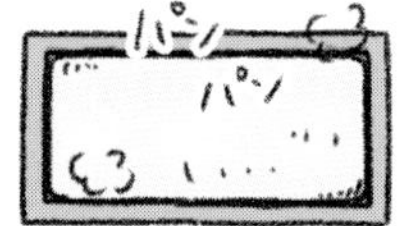

パン
パン

5 ウレタン製造

ピュ
パカ
ボムッ

全自動ロボットと温度管理された容器によって、クッション材となるウレタンができ上がる

6 革の受け入れ・裁断・ほうせい

ダダダダ
ダダダダ

納品された革は必要なパーツごとに裁断され、職人が専用ミシンでソファに合うようにほうせいする

引っ張り検査

革にかくれた天然キズを見つけるための検査。裁断後の革を1枚1枚手で引っ張ることで、まれに天然キズが現れることがある

革の一端を固定し引っ張る
ぐいっ
ぐいっ
ぐいっ

硬さ検査

でき上がったウレタンの硬さを測定し、基準通りのものができていることを確認する

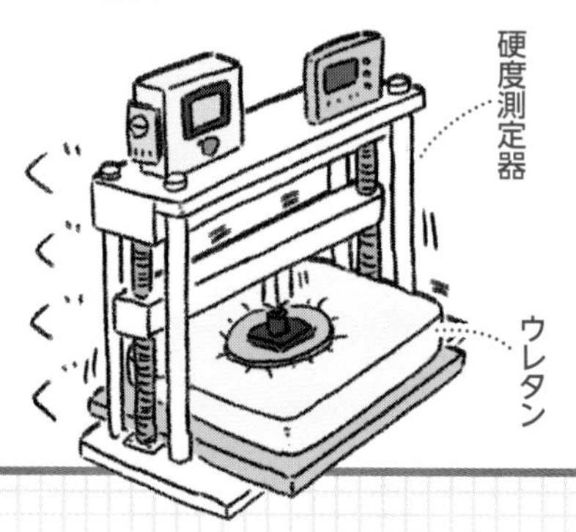

硬度測定器
ウレタン
ぐ
ぐ
ぐ
ぐ

官能検査

外観にキズや汚れがないか、がたついたりしないかなど、検査員が1つ1つ触って確認する

ズッ
ズッ
ズッ
ズッ

水平チェック

水平になっているレーザー光を使って、ソファの上部が左から右まで水平になっていることを調べる

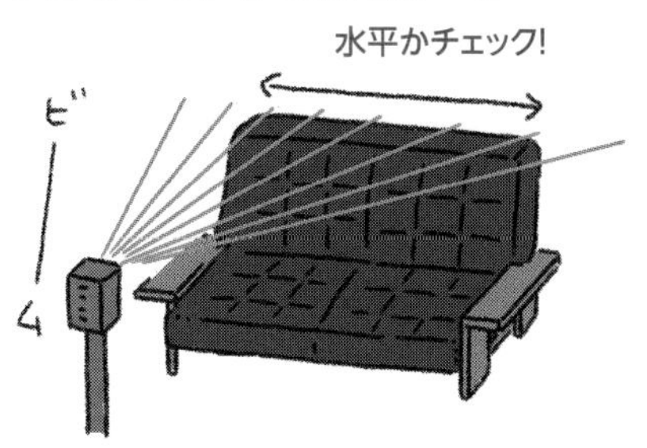

水平かチェック!
ビ
ム

7 革張り・仕上げ

ササササ
ぐっ ぐっ

木わくにウレタンなどのクッションを固定し、革張りを行う。その後、ひじかけ部を取りつけて完成

8 出荷

karimoku

完成品の状態撮影

すべての検査が終わった完成品を梱包前に写真を撮る。これによって、いつ誰が検査し完成させたか、またそのときの状態を記録として残している

カシャーリ
完成品
合格
万が一、出荷後に何かあったときにこれでチェックできるんだ
お〜

資材保管ゾーン
広ーい!!
ゴゴゴゴゴゴ
木材加工ゾーン
広ーい!!
ウィーン
ウィーン
シャー
シャー

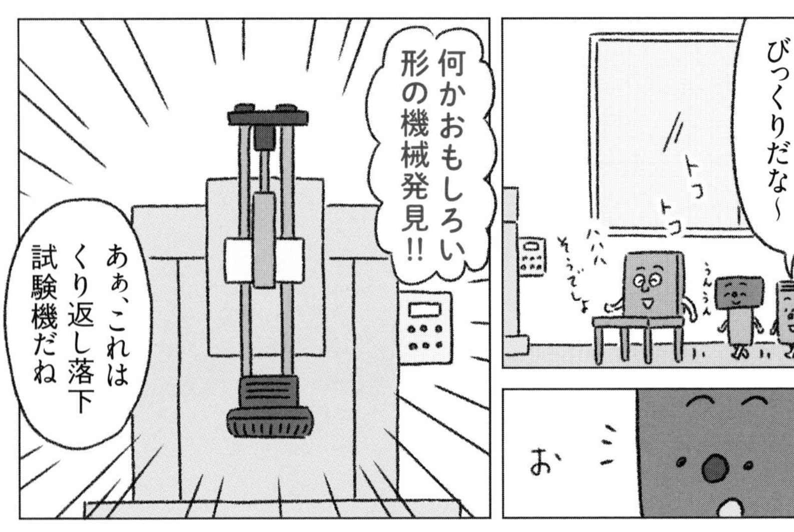
いやー
どこも広すぎて
びっくりだな〜
トコ
トコ
うんうん
ハハハ
そうでしょ
お
何かおもしろい
形の機械発見!!
あぁ、これは
くり返し落下
試験機だね

別名「もちつき試
験機」といって…
ピピピ
ピピピ

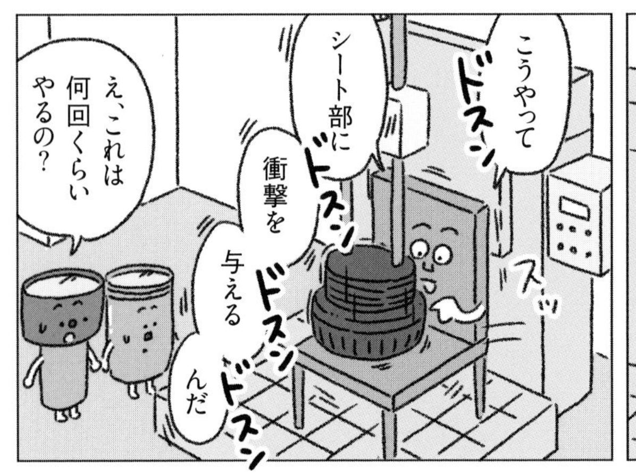
こうやって
ドスン
スッ
シート部に
ドスン
衝撃を
与える
ドスン
んだ
ドスン
え、これは
何回くらい
やるの?

これはソファだと約10やってて
ドスン
ドスン
ドスン
ドスン
えーっと…聞き取りにくいなぁ…

ハハハごめんごめん
スッ
…ソファだと合計で約10万回やってるんだ
10万回!!

…ただこれは通常の製品に行うわけじゃなく開発段階のもので行う試験で…
この試験に10万回耐えられるものじゃないと製造に進めないんだ
きびし〜

ちなみに開発段階では、家具に合わせて行われる試験が他にもいくつもあるんだ

製品開発の段階で行う試験の例

ヒュ

耐衝撃試験
背もたれ部に衝撃を与えて、問題がないか

ギッ
ギッ
ギッ

くり返しアーム試験
アーム部と背もたれ部に負荷を与えて問題がないか

ガンッ

落下試験
一定の高さから落としても問題がないか

ザッ
ザッ
ザッ
ザッ

摩擦試験
シート部に何度も摩擦を与えても問題がないか

開発も大変だ…

ちょっと休憩してこうか
社員食堂
はーい

へー食堂も広いなぁ
キレイだねー
ピューーーッ

お茶でいい?
ありがとー
あ、あんなところにもソファがあるよ
さすが家具メーカー!!食堂でも座れるようになってるのかな

いや、実はそうじゃなくて
…あれはベンチマーク品なんだ
ベンチマーク?

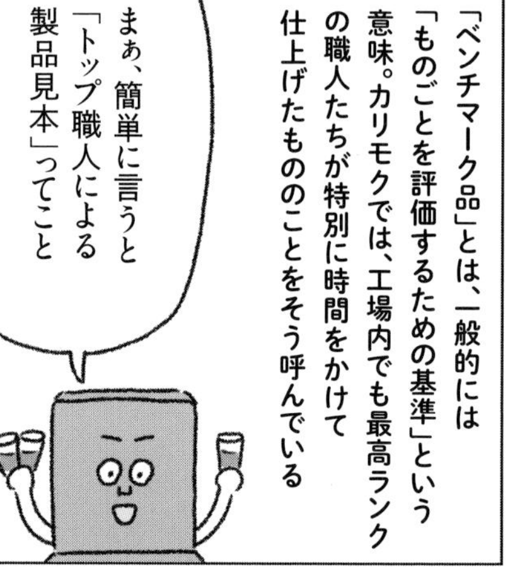
まぁ、簡単に言うと「トップ職人による製品見本」ってこと
「ベンチマーク品」とは、一般的には「ものごとを評価するための基準」という意味。カリモクでは、工場内でも最高ランクの職人たちが特別に時間をかけて仕上げたもののことをそう呼んでいる

へー、でもなぜここに?
うんこれを常に見てトップの技術を学ぶためさ
食堂にはみんな来るからね

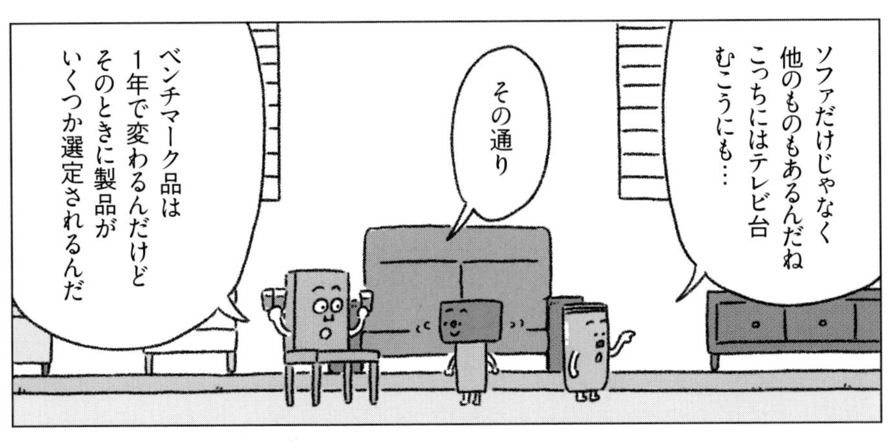
ソファだけじゃなく
他のものもあるんだね
こっちにはテレビ台
むこうにも…
その通り
ベンチマーク品は
1年で変わるんだけど
そのときに製品が
いくつか選定されるんだ

「ベンチマーク評価会」
というのも
やってるんだよ
評価会?

その日工場で作られた
同じ製品を並べて
評価する会のことで…
ベンチマーク品と
比べて、どこが
足りないかを知る
ための大切な会なんだ
製造品
ベンチマーク品

実際の製品は
決められた時間内で
作らないといけないから
ベンチマーク品とまったく
同じものが作れるか
というと、正直難しい
ところもある…
でも、それを
目指すことに
大きな意味があると
ボクは思うな
……
どこまでも
品質に
ストイック
なんだね〜

…ところで
お茶どうぞ
あぁ、ごめん!!
話を聞くのに
夢中になってた!!

入りきらなかったこぼれ話
このソファは購入した人が家で組み立てる商品なんだけどこれも一度ここで組み立てた上で様々な検査をしてるんだ
その検査の後バラしてから出荷するのさ
手間がかかってる〜

資生堂

●日やけ止め　●口紅

日やけ止め

取材先：株式会社資生堂　久喜工場

SHISEIDO

アネッサさん よろしく

はいはーい

工場に関するプチ情報

この工場で製造されている商品

シャンプー

日やけ止め

洗顔料 など

この工場はこれらの製品のマザー工場※なのよ

※新たに工場を造る際の見本となる工場のこと

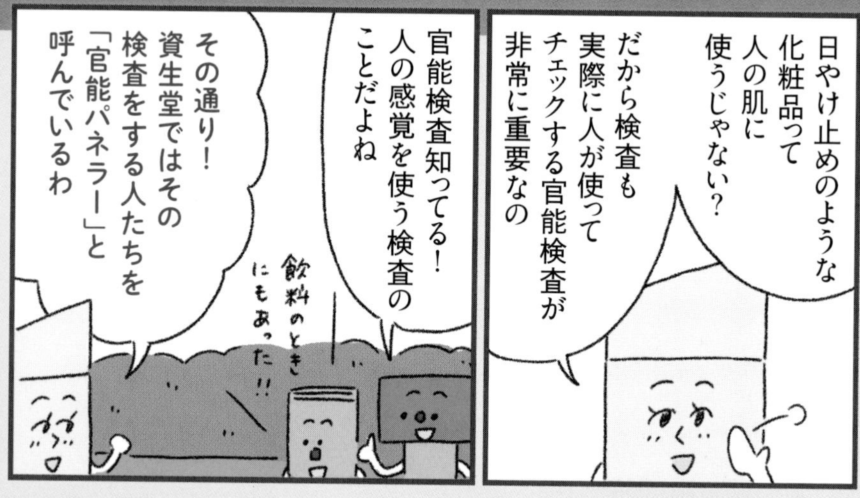
日やけ止めのような化粧品って人の肌に使うじゃない？
だから検査も実際に人が使ってチェックする官能検査が非常に重要なの
官能検査知ってる！人の感覚を使う検査のことだよね
飲料のときにもあった!!
その通り！資生堂ではその検査をする人たちを「官能パネラー」と呼んでいるわ

品質検査のポイント

今回は
ミルクタイプを
例にあげるわね

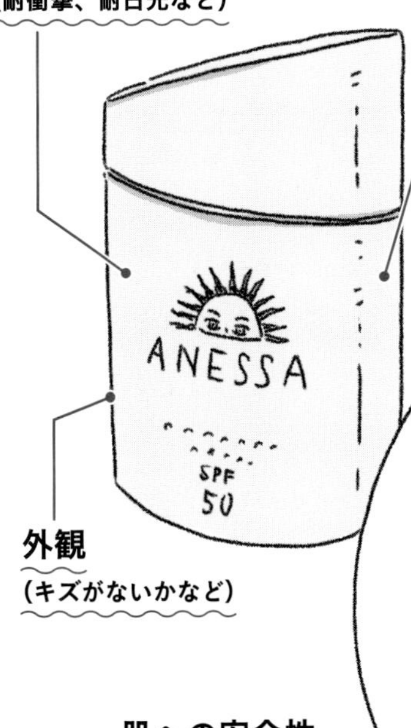
耐久性
（耐衝撃、耐日光など）
表示内容に間違いがないこと
（配合されている成分名、内容量など）
ANESSA
SPF
50
外観
（キズがないかなど）
使用感
（ぬりやすさ、保湿感など）
香り
肌への安全性
ぬったときの外観

官能パネラーとは…
視覚・嗅覚・触覚で製品の品質を
チェックする専門家集団。
特別なテストや訓練を経て
この職につくことができる
官能
パネラー

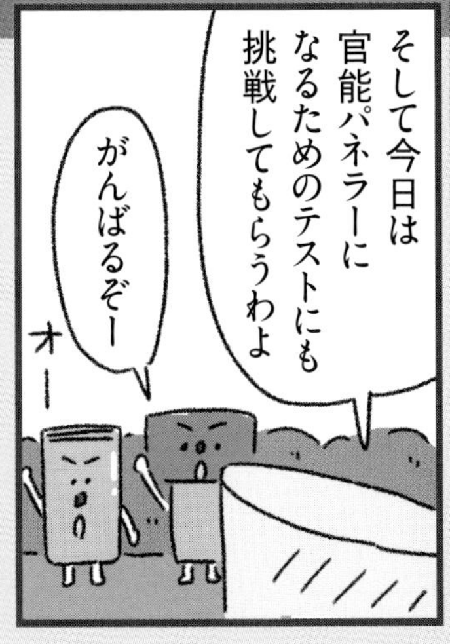
そして今日は
官能パネラーに
なるためのテストにも
挑戦してもらうわよ
がんばるぞー
オー

日やけ止めの検査項目

1 原料の受け入れ

原料の各種検査

外観や匂いなどの検査に加えて、機械を用いて、不純物が混入していないかどうかなどもチェックしている

じっ…

外観・匂い検査

ガスクロマトグラフィ
（純度測定など）

主原料

紫外線防御剤　オイル　水

紫外線防御剤とは…

大きく分けて紫外線吸収剤と紫外線散乱剤の2種類。それぞれ異なるメカニズムで肌を紫外線から守る

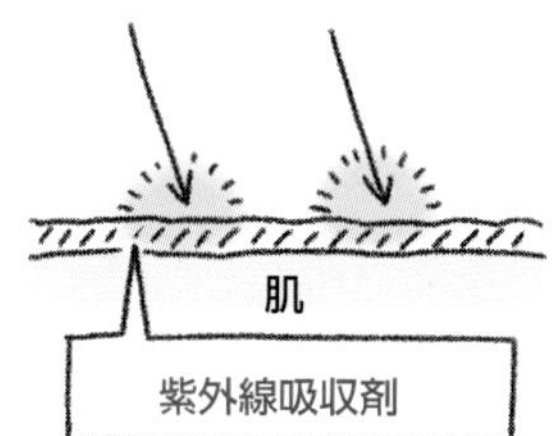

肌

紫外線吸収剤

紫外線を熱エネルギーなどに変化させて肌に届かなくする

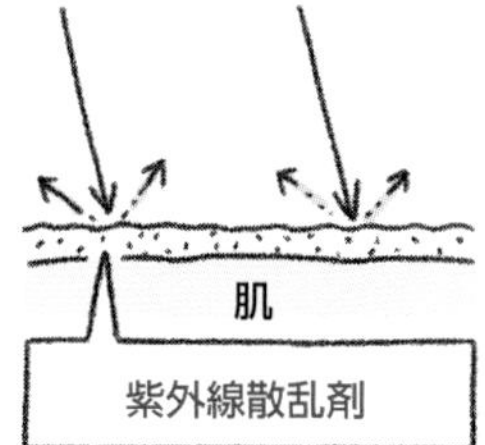

肌

紫外線散乱剤

紫外線を物理的に乱反射させる

日光から肌を守る紫外線防御剤には大きく2種類あるのよ

他には
容器自体に
日光を当てる
検査なんかも
あるわね
へ〜

開閉検査

数百回、実際に手で開閉し、耐久性に問題がないことを調べる

くる
くる
パカッ

トルク検査

適切な力でフタの開閉ができるかを調べる

ANESSA

トルクメーター

ゴゴゴゴゴ

❸ 原料の加熱混合

❷ 材料の受け入れ

すべての原料を混ぜ、特殊な機械で「乳化」という操作をする

フタ

ボトル

乳化とは…

水と油のように溶け合わないもの同士を混ぜ合わせる方法の1つ。例えば、マヨネーズやバターも乳化された状態

例 マヨネーズ

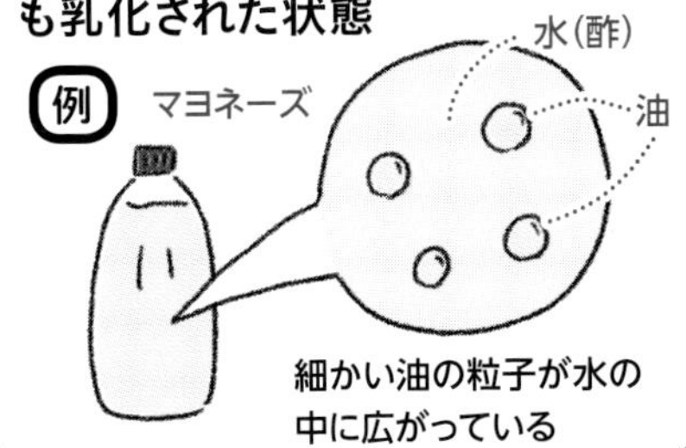
水(酢)
油

細かい油の粒子が水の中に広がっている

乳化粒子径の検査

油の粒子が設計通りの大きさになっているかを測定する

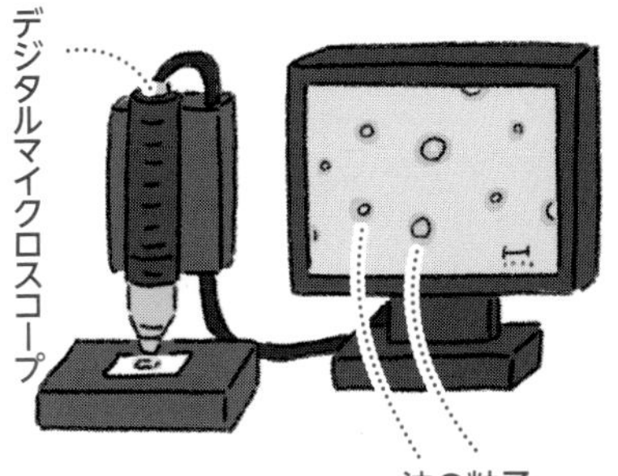
デジタルマイクロスコープ
油の粒子

容器に充てんする前の各種検査

製造した液体が設計した通りになっているかを確認するために、様々な機器で測定する

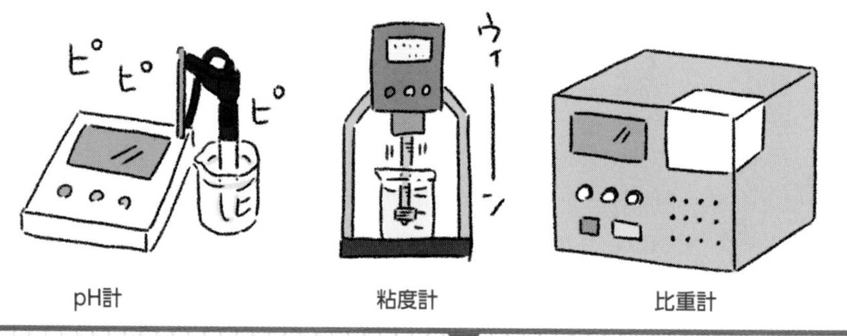
ピ
ピ
ピ
ウィーーン

pH計　粘度計　比重計

5 充てん
4 冷却

5 充てん

製造した液体の決められた量を容器に充てんし、フタをセットする

4 冷却

乳化が終わったものを徐々に冷やして、中の液体は完成

防腐力検査

わざと菌を混入させ、それが死滅することを調べる（購入者が製品を使うときに、肌にいる菌が製品に入る可能性を想定）

冷えていく仕組み

製造タンクの壁の内部には冷却用の水が流れている

タンクの断面イメージ

壁

製造中の液体

冷却水

官能検査

中の液体の色や香り、肌へのぬりやすさなどはもちろんのこと
パッケージに誤字脱字などのミスがないかもチェックする

使用感チェック
肌にぬったときの
香りチェック
スンスン
パッケージチェック
（紙を当てて見やすくして
1行1行チェックする）
基準品
製造品
官能パネラーさんって、こんなこともやってるの!?

7 出荷

6 パッケージング

充てん品をパッケージにつめていき、バーコードの読み取りや重量チェックなどを行う

耐衝撃検査※

商品を専用のボックスに入れ、直接衝撃を与え、問題がないことを調べる。これは、購入した人が商品をかばんに入れて持ち運ぶときなどを想定している

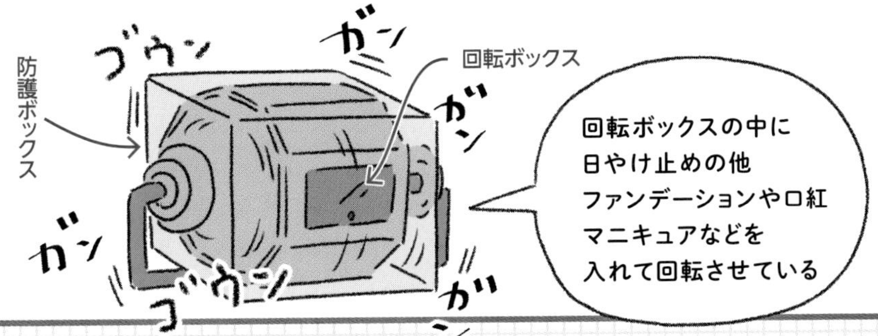
ゴウン
ガン
回転ボックス
防護ボックス
ガン
ガン
ゴウン
ガン
回転ボックスの中に
日やけ止めの他
ファンデーションや口紅
マニキュアなどを
入れて回転させている

※機械の種類はいくつかあります

ゴウン
特殊試験室
ゴウン
耐衝撃試験
けっこう中で
ぶつかってるけど
大丈夫？
すごい
試験だなぁ
ガン
ゴウン
ガン
ゴウン
ガン
もちろん大丈夫!!
むしろこういう試験に
耐えられるもので
ないと、安心して
使ってもらえないでしょ？

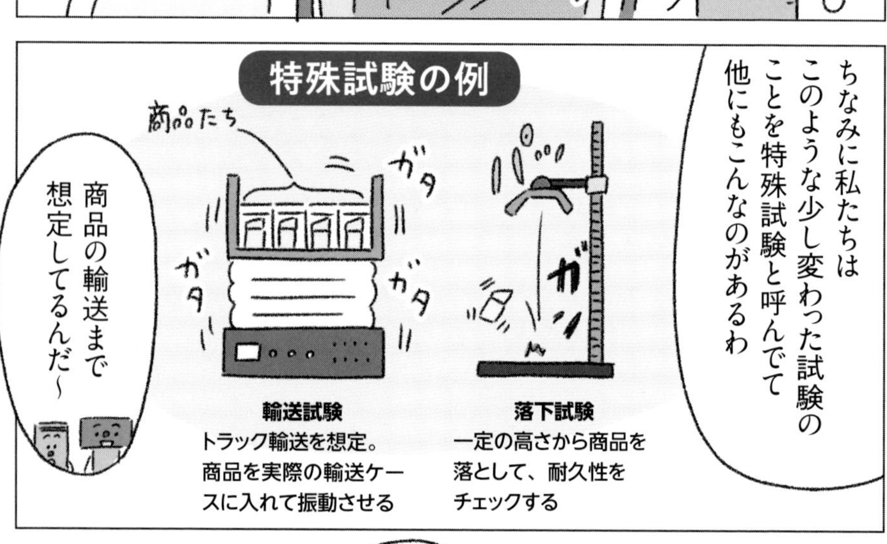
ちなみに私たちは
このような少し変わった試験の
ことを特殊試験と呼んでて
他にもこんなのがあるわ
特殊試験の例
商品たち
ガタ
ガタ
ガタ
パッ
ガン
輸送試験
トラック輸送を想定。
商品を実際の輸送ケースに入れて振動させる
落下試験
一定の高さから商品を
落として、耐久性を
チェックする
商品の輸送まで
想定してるんだ〜

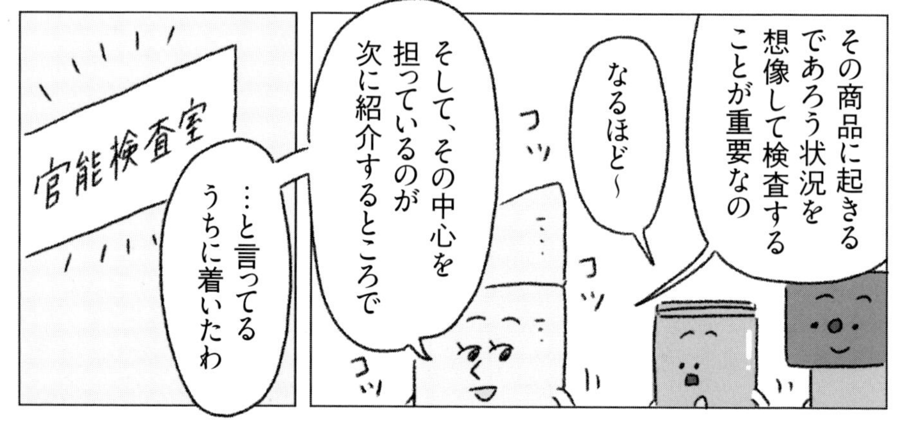
その商品に起きる
であろう状況を
想像して検査する
ことが重要なの
なるほど〜
コッ
コッ
コッ
そして、その中心を
担っているのが
次に紹介するところで
官能検査室
…と言ってる
うちに着いたわ

ガチャ
どうぞ
失礼しまーす
日やけ止め
おお!!
化粧品がいっぱい
この工場で作られた
すべての商品を
ここで検査してるからね

この工場では15人の
官能パネラーさんが
活躍していて、その方々が
毎日、製造品の品質を
すみからすみまで
検査しているわ
外観に
異常はないか
使い心地は
設計通りか
香りに
異常はないか
この毎日の積み重ねが
品質の高さにつながってるの。
官能パネラーさんたちは
いわば資生堂品質の番人なのよ

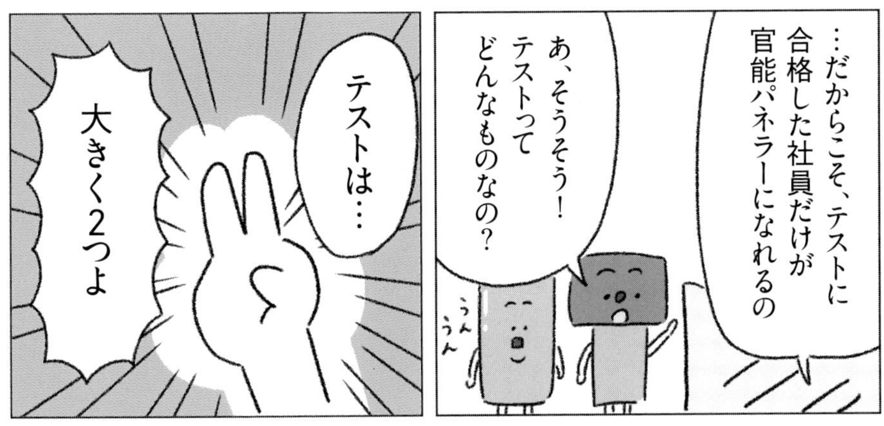
…だからこそ、テストに
合格した社員だけが
官能パネラーになれるの
あ、そうそう!
テストって
どんなものなの?
うんうん
テストは…
大きく2つよ

1つは色
もう1つは香りに関するものよ

お〜

官能パネラーになるためのテスト

①色彩弁別試験

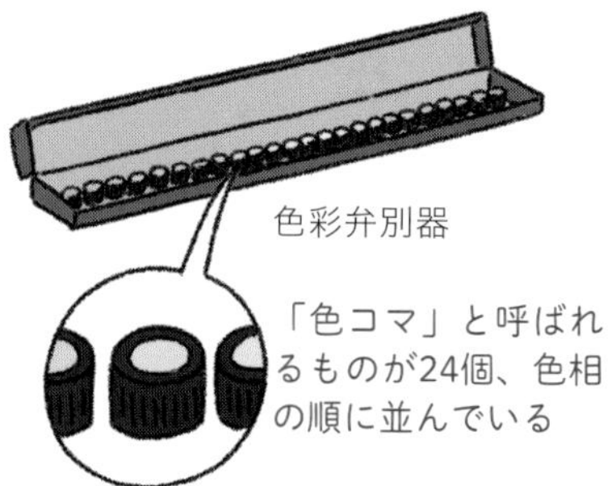
色彩弁別器
「色コマ」と呼ばれるものが24個、色相の順に並んでいる

⑴色彩弁別器から色コマをすべて取り出し、順番がわからないようにバラバラの状態にする

⑵２分間で色コマを色相の順に並べる

⑶色コマをすべて裏返し、裏に書かれた数字が順に並んでいたらＯＫ

⑷これを４セット行う
（例：青系、赤系…など４系統）

②香り弁別試験

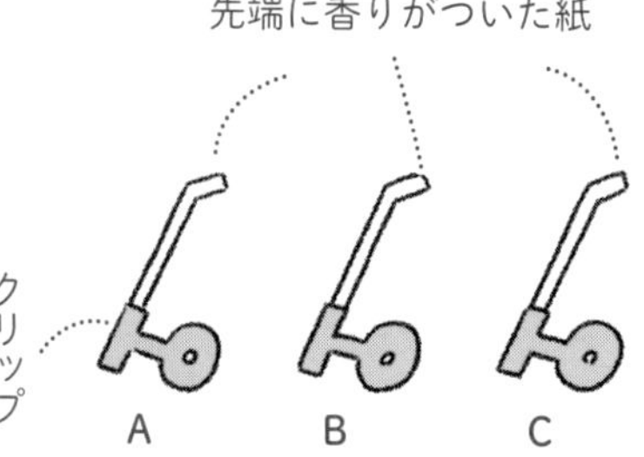
先端に香りがついた紙
クリップ
A
B
C

⑴左のようなセットを用意し、３つのうち１つだけほんの少し香りが違う香料をつける

⑵３つの中からどれが違うかを判定する

⑶これを４セット行う
（例：シトラス系、アップル系…など４系統）

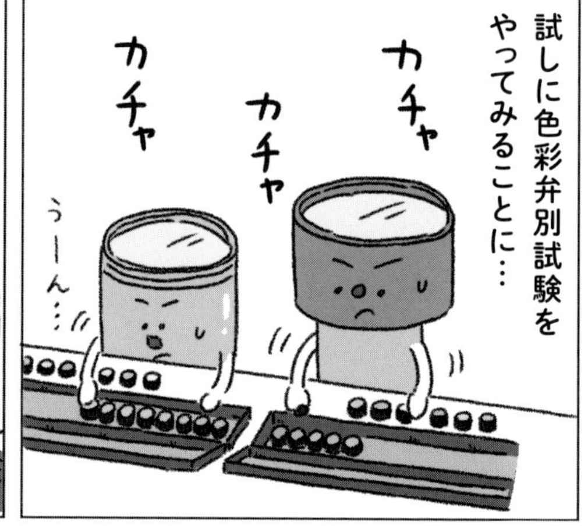
試しに色彩弁別試験をやってみることに…
カチャ
カチャ
カチャ
うーん…

はい2分！そこまで!!
ふーーーっ

えーっと…接眼レンズくんは4コ間違いで対物レンズくんは2コ間違いね

あ…でもセンス良いね

まぁボクら見るのが仕事なんで

でも難しかった～

まぁ官能パネラーさんたちは余裕で満点出すけどねしかも4系統すべてよ

そっか～やっぱりなるのって大変なんだな…

ノンノンこのテストはあくまで最低ライン…

このテストに合格してそこから1年間先輩に付いて学ぶの

その中でも適性があると判断されてやっと官能パネラーになれるのよ

そしてもっと言えば

…官能パネラーはなってからも大変なのよ～

体調が悪くなると感覚が鈍るから日々の体調管理は徹底しないといけないし
匂いが強い食べ物は基本的にNG香りの強い柔軟剤もNG
さらに腕に商品を塗って検査するから日やけNGだから、みんな夏でも毎日私服は長そで…とかね
ゴホ
ゴホ

官能パネラーさんたち…
ストイック～

口紅

取材先：株式会社資生堂　掛川工場

SHISEIDO

口紅さん
こんにちは～

よろしくね～

工場に関するプチ情報

この工場では
主にメイクアップに関する
様々な製品を製造している

口紅や
リップグロス

ファンデーション

アイライナー
など

この工場は
メイク製品の
マザー工場なの

口紅って中身も
重要なんだけど
くり出すための容器も
すごく重要なのね
たしかに
容器がないと
使えないもんね…
うん　うん
だから検査もいろいろしてて
この容器だけで検査項目数は
…なんと40以上!!
検査項目
40以上!
くり出し容器
多い!!

品質検査のポイント

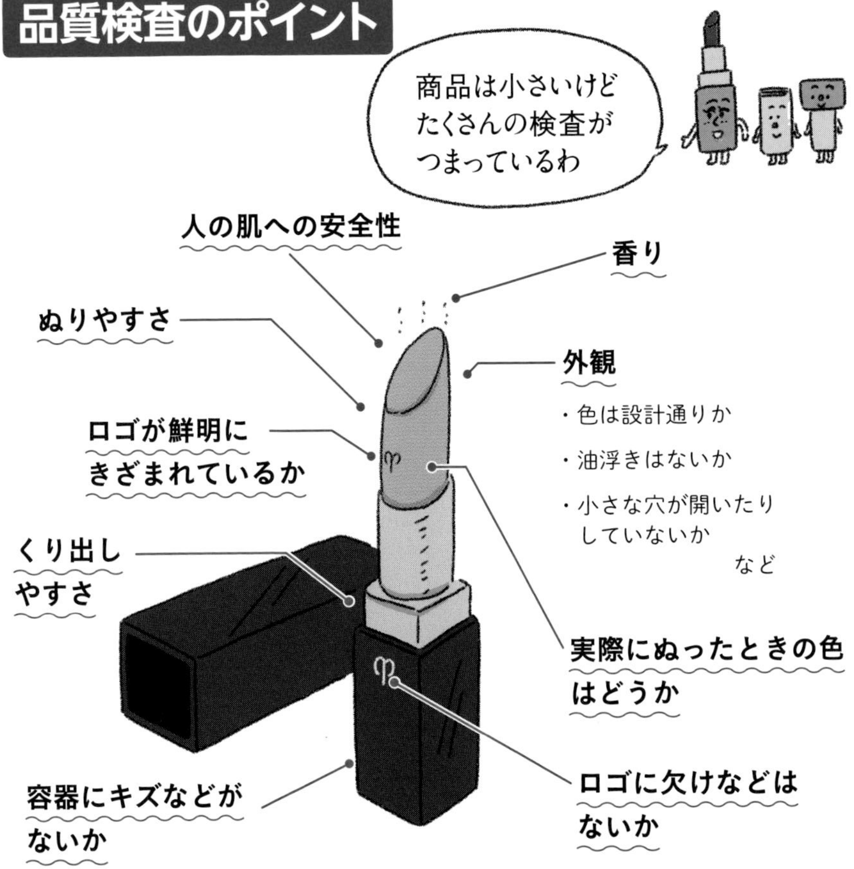

商品は小さいけど
たくさんの検査が
つまっているわ

人の肌への安全性

香り

ぬりやすさ

外観

・色は設計通りか
・油浮きはないか
・小さな穴が開いたりしていないか
など

ロゴが鮮明にきざまれているか

くり出しやすさ

実際にぬったときの色はどうか

ロゴに欠けなどはないか

容器にキズなどがないか

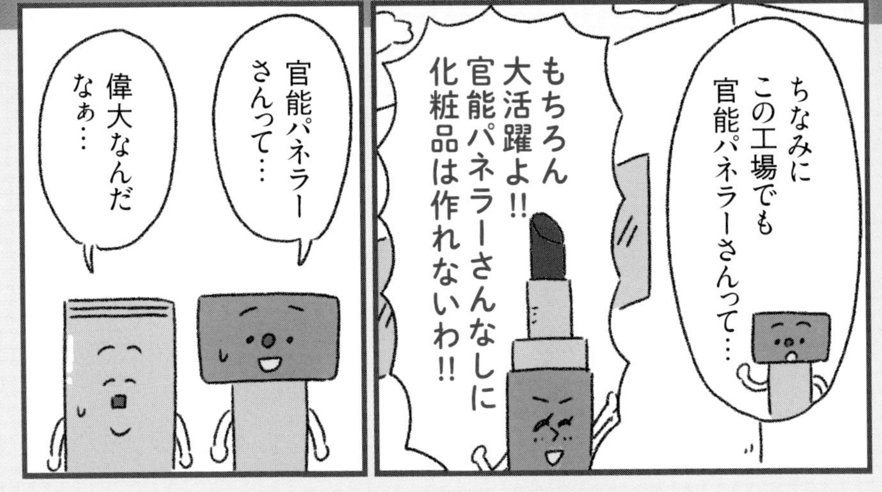
ちなみに
この工場でも
官能パネラーさんって…
もちろん
大活躍よ!!
官能パネラーさんなしに
化粧品は作れないわ!!
官能パネラー
さんって…
偉大なんだ
なぁ…

口紅の検査項目

1 原料の受け入れ

パール剤の外観検査

2枚の両面テープを板にはり、そこに調べたいもの（納入品）と基準品をふりかけて付着させる。そして、その2つを比較し、差がないかどうか調べる

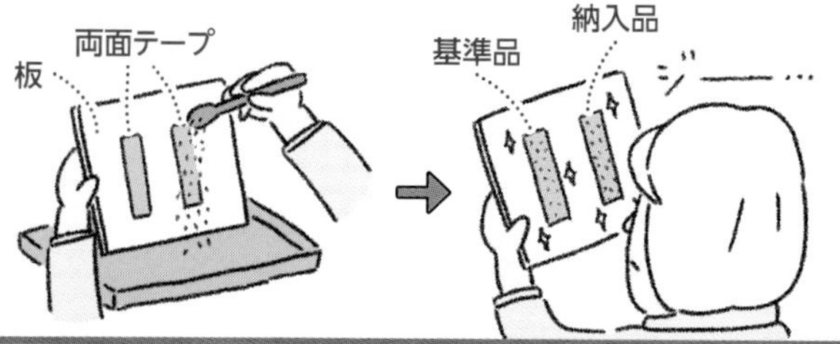

①パール剤をふりかける
②いろいろな角度からチェック
両面テープ
板
基準品
納入品
ジーー…

主原料

パール剤　顔料（色素）　固形油分　液状油

パール剤とは…

光をよく反射して、輝きや虹のような色を発する特徴をもつ素材のこと。
1粒1粒の大きさは数十μmである

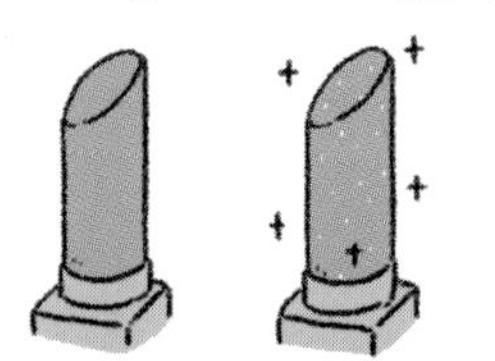

パール剤ナシ
パール剤アリ

固形油分の硬度検査

硬度が、決められた基準の範囲内に入っているかを硬度計で測定する

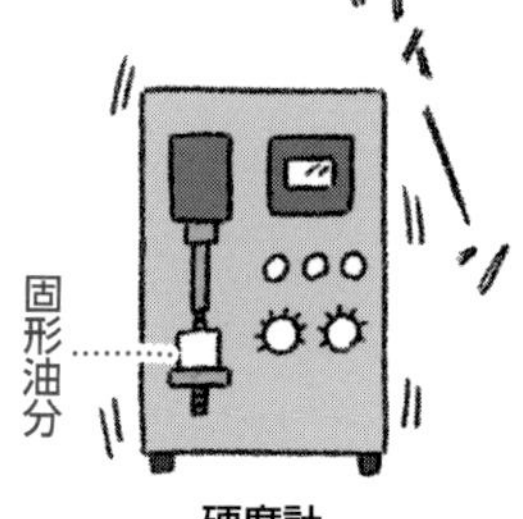

ウィーン
固形油分
硬度計

今回は一般的なスティック型の口紅について紹介するわね

材料の官能検査

ボトルやフタにキズがないか、異臭がないかなどはもちろんのこと、ボトルをくり出したときの動作性やフタをはめるときのかたさなどもチェックする

くり出し時の動作性

フタをはめたときのかたさ

フタとボトルの組み合わせも大切なの！

くりっ くりっ

カチャリ

❷ 材料の受け入れ

フタ ボトル

❸ 原料の加熱混合・減圧脱気

ゴー

すべての原料をタンクに入れ加熱しながら混ぜて均一にする。その後、減圧状態にして泡をぬく

製造直後品の官能検査

正しいものが作れているかを確認するため、外観色やぬったときの色など、完成品で行う検査(103ページ)と同様の検査を仮容器で行う

外観色のチェック

今回の製造品
仮容器に手で充てんしたもの
基準品
(見本となるもの)

減圧するワケ…

減圧とは、タンク内の圧力を下げること。これによって液体に含まれる空気を吸い出すことができる。これをしないと完成品に小さな泡が入ってしまうことも

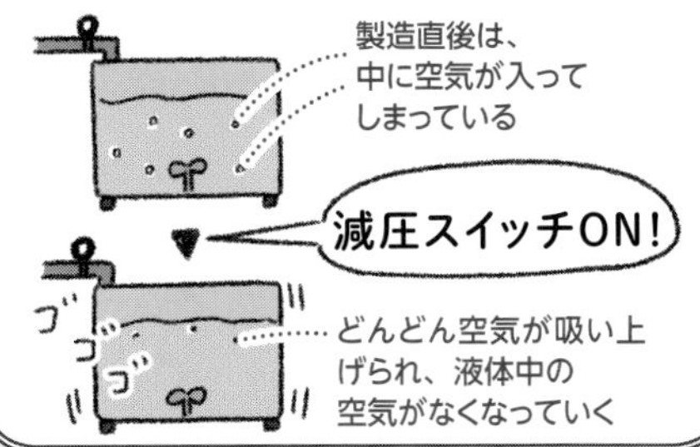
製造直後は、中に空気が入ってしまっている
減圧スイッチON!
ゴ ゴ ゴ
どんどん空気が吸い上げられ、液体中の空気がなくなっていく

口紅の充てん方法の詳細

口紅は本体の底にある穴から、とかした状態で充てんする。充てん時の容器の温度や冷却の方法が仕上がりに大きく影響するため、段階ごとにきびしく温度管理されている

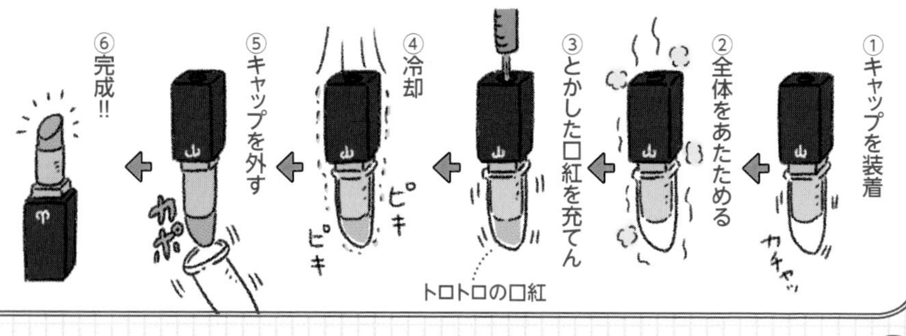

①キャップを装着
カチャッ
②全体をあたためる
③とかした口紅を充てん
トロトロの口紅
④冷却
ピキ
ピキ
⑤キャップを外す
カポ
⑥完成!!

4 充てん・冷却

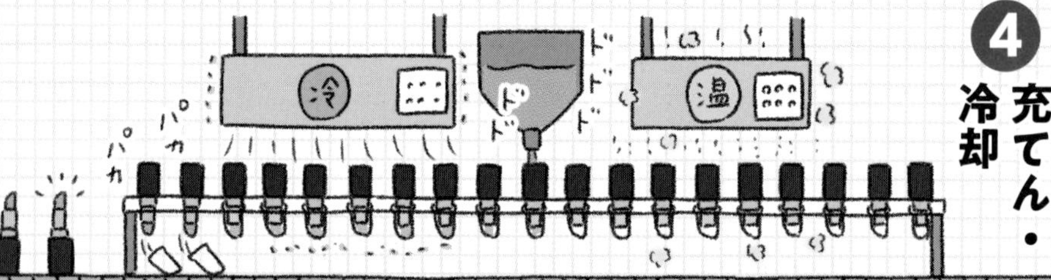

冷
ドド
ドド
ド
温
パカ
パカ

製造したものを再度加熱し、トロトロにした状態で特殊な機械を用いてボトルに充てんする。その後、厳密に温度を設定したレーンに通し、冷却させ、口紅を固めていく

ワイパー試験（耐応力試験）

唇に口紅をぬるときの動きやスピード、かかる力を想定した検査。車のワイパーのように何度も往復させて、口紅が折れたり、不具合が起きないことを確かめる

こんなことまでやってるの!?
紙
ここに
口紅をセット
シャーーッ
シャーーッ
シャーーッ
シャーーッ

完成品の官能検査

口紅そのものの見た目や肌にぬったときの色や香りに加え、くり出しやすさ、パッケージの印刷に欠けがないかなど、細部までチェックする

パッケージのチェック

ケースや容器に不具合がないか

ぬったときの色

製造品

基準品（見本）

このようにぬることで公平に検査できる

くり出し時の音

くりっ
くりっ
くりっ

6 出荷

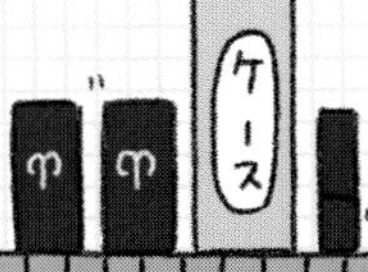

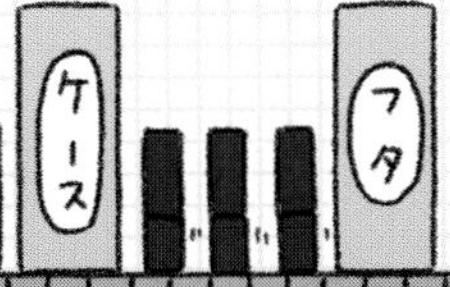
ケース
フタ

5 パッケージング

ボトルにフタをセットし、1本1本ケースに入れていく。その後、重量チェックなどを行う

出荷後の定期検査

出荷したものを一部保管しておき、数カ月おきに品質をチェックする。それ専用の保管庫が存在する（詳細は106ページ）

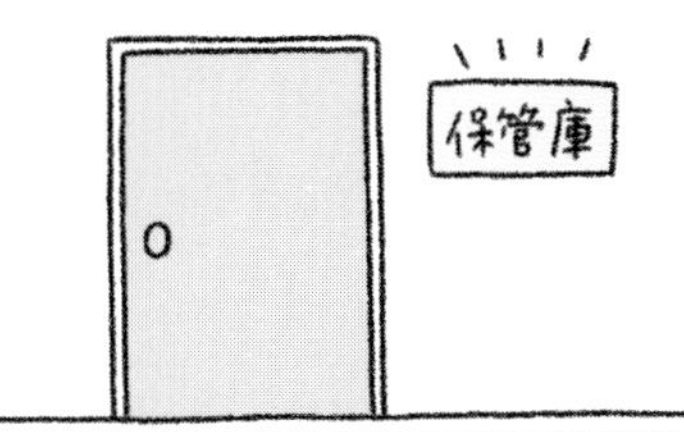
保管庫

振り検査

ボトルから口紅が抜けないことを、1本1本手で振って確認する

ブン
ブン
ブン
ブン

──では
まずここから
材料
検査室
はーい

ガチャ
おー
いろいろ
ある～
お～

メイク用化粧品の材料

ケース

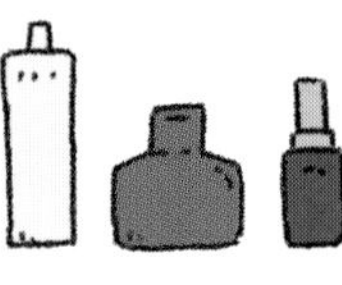
ボトル

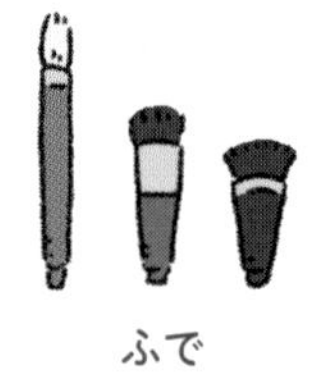
ふで

ブラシやチップ

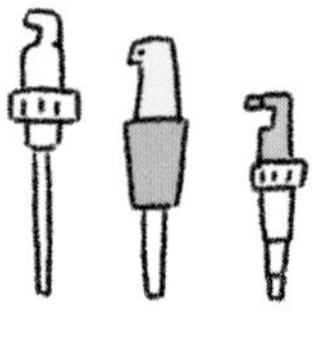
ポンプ用具

パフ

メイク用化粧品って
いろんな形があるから
材料も多種多様なの

その品質を検査
しているのがここよ

ブラシやふでなんかも
チェックするんだ…

※101ページ参照

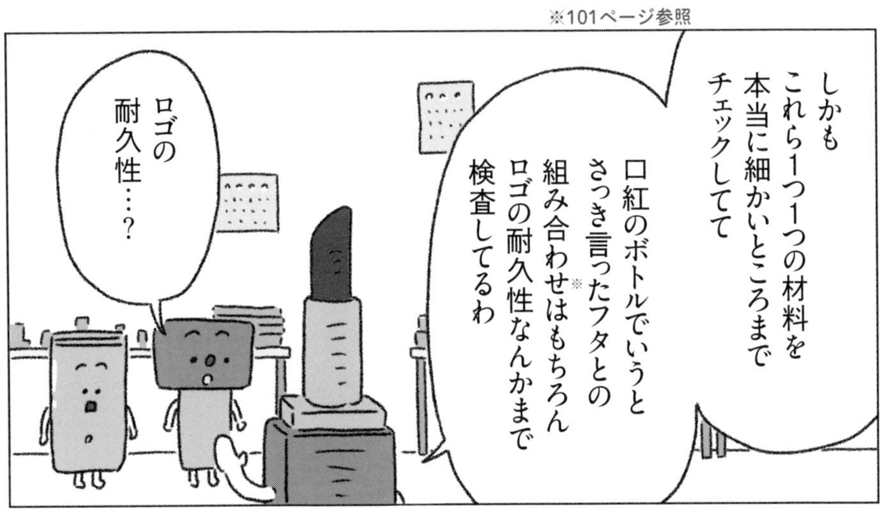
しかも
これら1つ1つの材料を
本当に細かいところまで
チェックしてて
口紅のボトルでいうと
さっき言ったフタとの
組み合わせ※はもちろん
ロゴの耐久性なんかまで
検査してるわ
ロゴの
耐久性…?

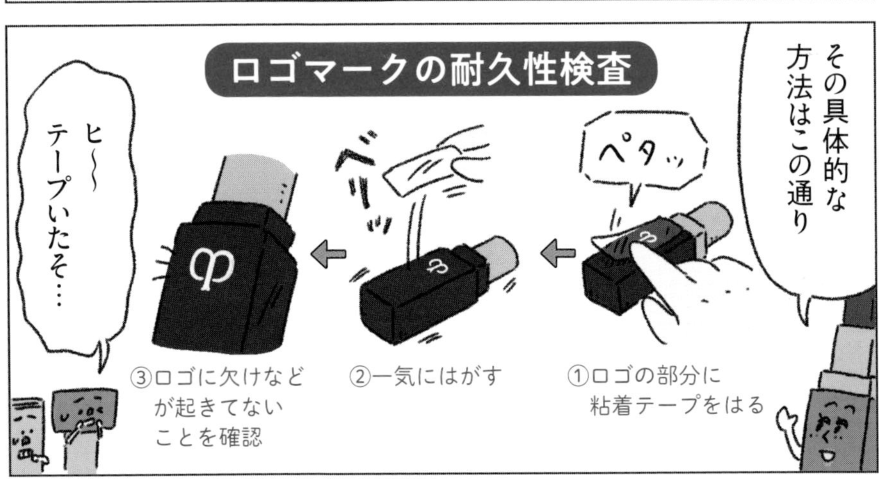
ロゴマークの耐久性検査
その具体的な
方法はこの通り
ペタッ
ベリッ
ヒ～
テープいたそ…
①ロゴの部分に
粘着テープをはる
②一気にはがす
③ロゴに欠けなど
が起きてない
ことを確認

ブランドを表す
大事なロゴマークだから
それくらいで
不具合が生じて
もらっては困るのよ
せっかく
購入してくださった
お客さまに
がっかりしてほしく
ないからね
なるほど～

次はここよ
――はい
保管庫
ほかんこ…？
ま、入ってから
説明するわね
ガチャ
失礼しまーす
わお
すごい
化粧品が
ズラ――ッと
ものすごい
数あるよ!!
ここはこの工場から
出荷された商品を
保管している
ところなのよ

この工場から
商品を出荷するとき
必ず一部を取っておいて
それをこの部屋に
保管しておくの
直近の5年分が
あるから、合計すると
数十万個になるわね
そ
そんなに!?
…でも
なんで
そんなに
保管を
うん
うん
まぁ
簡単に言うと
出荷した商品の
定期検査を
するためね
出荷してから
品質に変化が
ないかどうかを
確認してるのよ
出荷後の定期検査イメージ
①出荷品を保管
今日の分は
ここに入れて…
②定期的に取り出し品質を
チェック
官能パネラー
どれ
どれ…
③5年間くり返し完了※
5年間異常ナシ!
保管してから半年後
1年後…と、定期的に
取り出して品質を検査する
この流れを
1つの商品につき
5年間行うの
出荷してからも
検査は
続くんだなぁ…

※あくまで1つの検査結果の例であり、開封後5年間使用できることを保証しているわけではありません。開封後はできるだけ早く使い切りましょう

入りきらなかったこぼれ話
官能パネラーさんたちは
出勤時にこんなリストで
自分の健康状態を
チェックしてるわ
・せきはないか
・はなづまりはないか
・のどのいたみはないか
など
さすが
官能パネラーさん!

シグマ

●デジタルカメラ

デジタルカメラ

取材先：株式会社シグマ　会津工場

カメラレンズくん
こんにちは～
こんにちは～
SIGMA

1つのカメラにだいたい10～20枚のレンズが入ってるね
お、それはボクらと同じだ

工場に関するプチ情報

ここで作られているレンズはなんと約500種類!!

材質や形状、大きさが異なる様々なレンズたち

まぁまずはここで作ってる製品を見てよ
おじゃましまーす
すごい!! こんなに!!
いろんなカメラやレンズを作ってるからね～
ズラ～ッ

品質検査のポイント

今回はレンズがカメラに固定されているタイプの紹介をするね

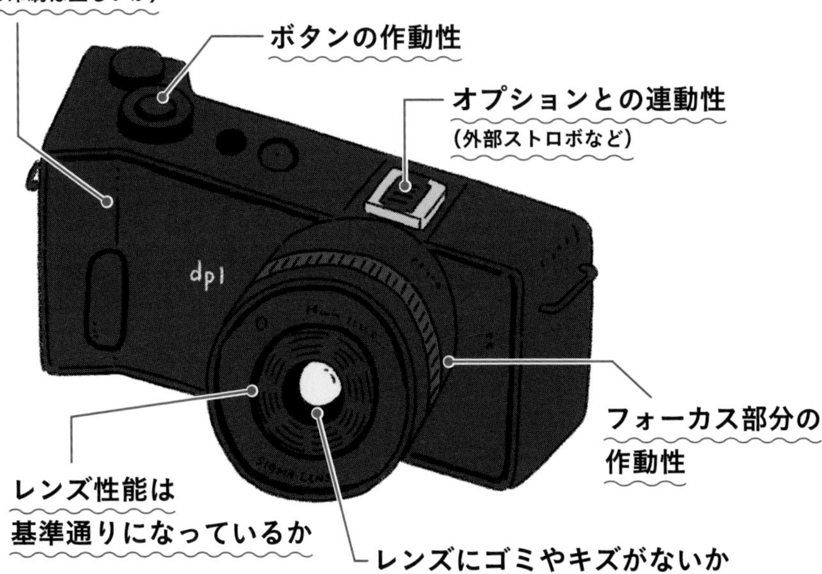
外観
(キズや汚れはないか
文字の印刷は正しいか)
ボタンの作動性
オプションとの連動性
(外部ストロボなど)
dp1
フォーカス部分の作動性
レンズ性能は基準通りになっているか
レンズにゴミやキズがないか

しかもこれらの製品は中の部品もほとんどが自社製造。これってすごく珍しいんだ
え、その分検査も大変そう…
その通り。部品は全部で200以上もあるから検査もすごい数になるのさ
だから今日はその中から主要なところを案内するつもりなんだけど
その前にカメラがどんなパーツでできているかを簡単に説明するね
よろしく〜

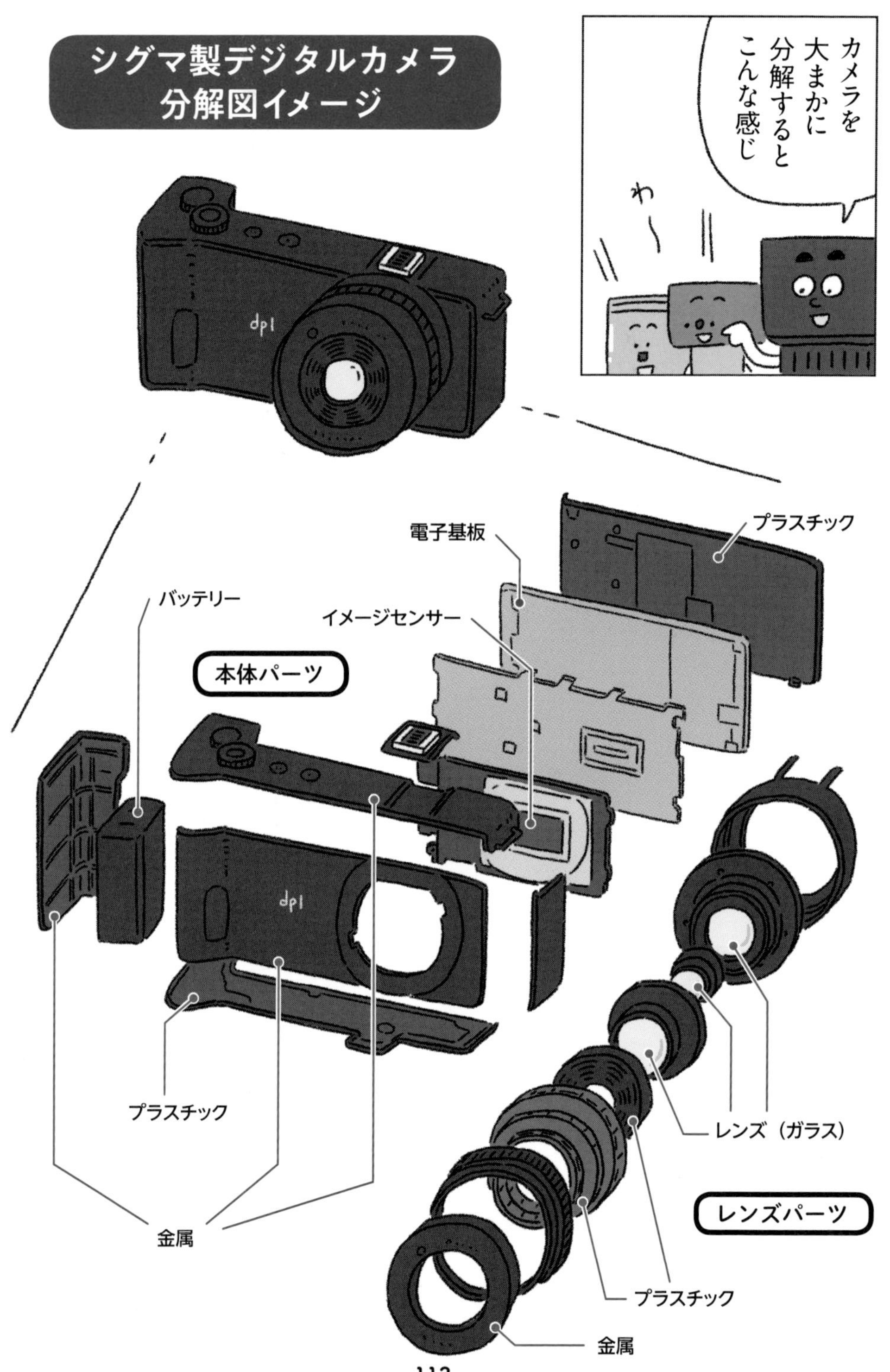
シグマ製デジタルカメラ
分解図イメージ
カメラを大まかに分解するとこんな感じ
わ〜
dp1
電子基板
プラスチック
バッテリー
イメージセンサー
本体パーツ
dp1
プラスチック
レンズ（ガラス）
レンズパーツ
金属
プラスチック
金属

これらの部品の中から
今回は主要パーツである
①レンズ
②金属パーツ
③プラスチックパーツ
の3つの製造工程&検査を…
そして最後に
組み立て&出荷前の
最終検査という流れで
案内するね

ちなみにこの中でも
一番時間がかかるのが
レンズなんだ
あ、やっぱりそうなんだね
ボクらも同じレンズだから
ちょっとわかるなぁ
レンズを磨くだけでも
すごく大変だもんね

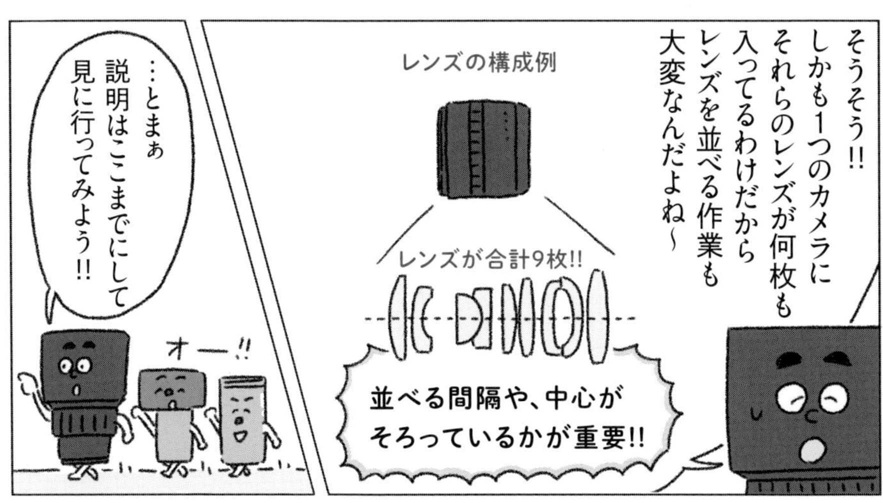
そうそう!!
しかも1つのカメラに
それらのレンズが何枚も
入ってるわけだから
レンズを並べる作業も
大変なんだよね〜
レンズの構成例
レンズが合計9枚!!
並べる間隔や、中心が
そろっているかが重要!!
…とまぁ
説明はここまでにして
見に行ってみよう!!
オー!!

デジタルカメラの検査項目

〈レンズ製造工程〉

❶ 成形

加工面チェック

荒ずり後のレンズは厚みや曲率などの寸法測定や、表面状態のチェックを行う。さらには、表面を鉛筆で軽くこすり、加工できてない部分がないことも確認する

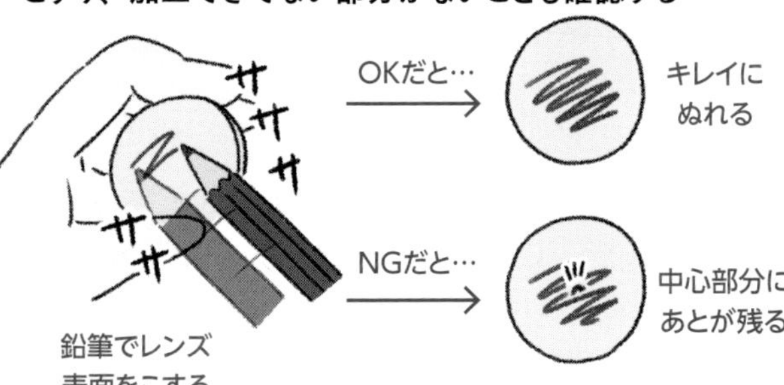
サササ
サササ
鉛筆でレンズ表面をこする
OKだと…
キレイにぬれる
NGだと…
中心部分にあとが残る

研磨後
ごうんごうん
精研後
シャ
荒ずり後
シュイ
研磨
精研
荒ずり

ガラス材料を段階的に削り、磨き、形を整えていく。「荒ずり」「精研」「研磨」の順に行われる。最終的には1万分の1㎜の精度（厚み・曲率）で作られる

寸法検査

レンズの厚みや表面の曲率（曲がり具合）が基準内になっているかを専用の道具で調べる

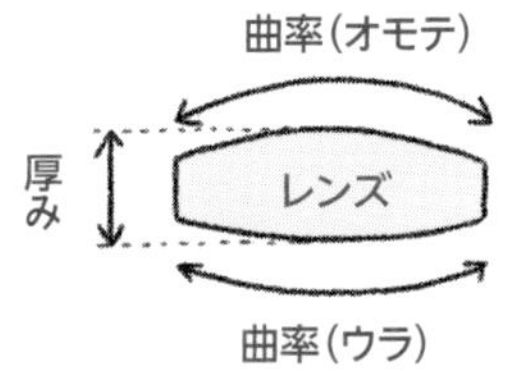
レンズを横から見た図
曲率（オモテ）
厚み
レンズ
曲率（ウラ）

目視検査

レンズ表面にキズや汚れがないかをチェックする

SIGMA

まずはレンズの製造工程からスタートだ

レンズの球面精度検査

レンズが正しくできているかを、専用の原器（基準となるもの）を用いてチェックする。作ったレンズを原器に重ねたときに現れる「ニュートンリング」というしま模様の形状を観察する

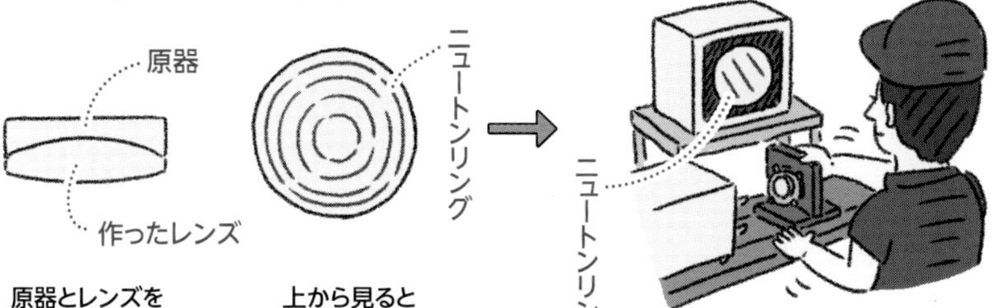
原器
作ったレンズ
ニュートンリング
ニュートンリング
原器とレンズを重ね合わせる
上から見るとしま模様が!!
レンズにレーザーを当て、それの拡大画像を観察するという方法も

2 コーティング・芯取り
コーティング後
ギュイイイイン
芯取り後
3 接合・すみぬり
接合後
すみぬり後

レンズ表面に特殊な膜をぬった後（コーティング）、規定の大きさ（直径）にするために周りの部分を削り取る

レンズの性能を上げるために凹凸レンズを接着させ（接合）、光の内面反射を防ぐため、レンズの側面を黒くぬる（すみぬり）

職人さんたちによる手作業…

接合工程以降は機械ではできないため、人の手で行う。すみぬりの作業では10分の1㎜単位でぬる幅が決められている

レンズを回転させている
キュイイイン
様々な筆を使い分ける

コーティングの目的…

レンズを腐食や酸化などから守る「劣化防止」と、よりレンズに光を取り込みやすくするための「透過率向上」という2つの目的がある

悪者から守る
光は通りやすく!
レンズ
コーティングの種類は約100種もあるんだ

投影解像力検査

プロジェクターにレンズユニットをはめ、ボードに特定の模様を映す。このとき規定の範囲まで鮮明に映せているかをチェックする

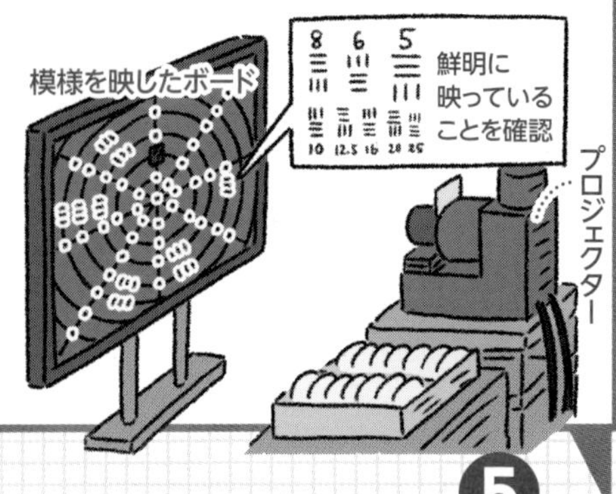

模様を映したボード
鮮明に映っていることを確認
プロジェクター

レンズユニットとは…

複数枚のレンズが1つの単位（群と呼ばれる）になったもののこと。カメラの仕様を表す際、レンズ構成欄に「6群8枚」などと書かれる

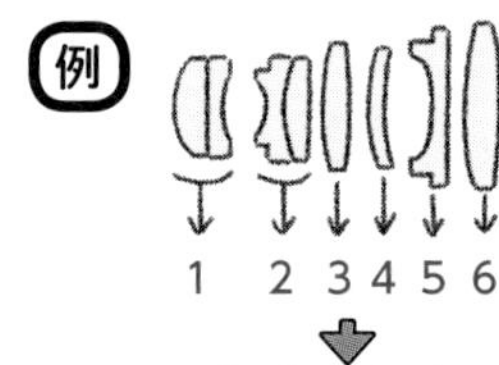

例
1 2 3 4 5 6
「6群8枚」となる

4 レンズユニットの組み立て

できあがった各レンズをリング状のパーツに組み込み、レンズユニットが完成

5 カメラレンズの完成

いくつかのレンズユニットを鏡筒にはめ込み、カメラレンズが完成

光学外観検査

レンズ内にゴミなどがないことを目視で確認する

背景を黒色と白色の交互にしてチェック
サッ サッ サッ サッ

レンズ性能検査

専門用語でMTF検査と呼ばれるレンズ性能を総合的に判定する検査。シグマでは独自開発した検査機を用いている

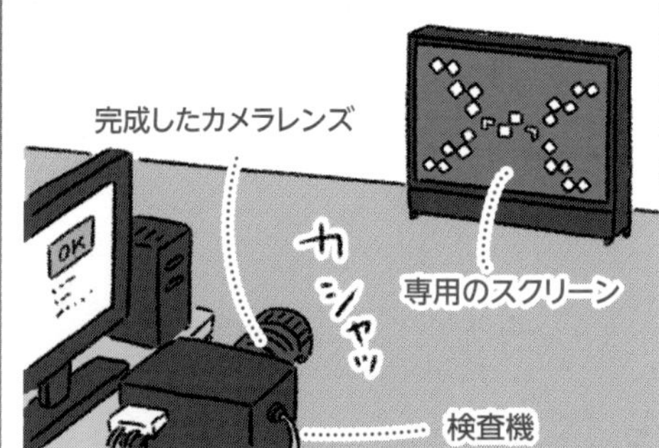

完成したカメラレンズ
専用のスクリーン
検査機
カシャッ
OK

寸法検査

加工したものの長さや厚み、リング状のパーツの場合は内径や外径が基準内になっているかを様々な道具を使って調べる

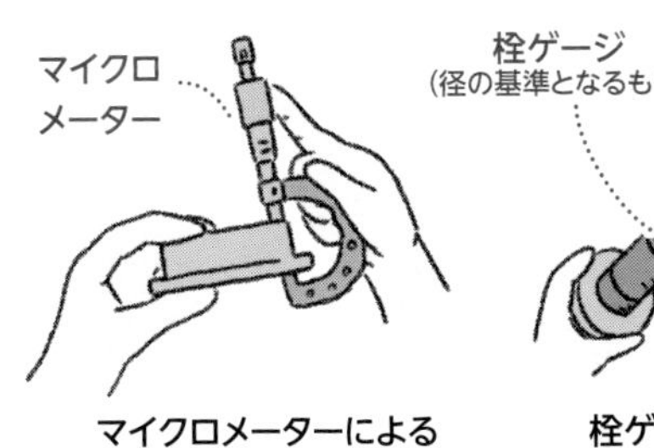
マイクロ
メーター

マイクロメーターによる
長さ・厚みの測定

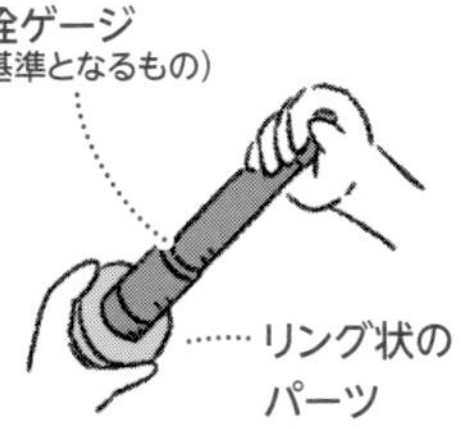
栓ゲージ
（径の基準となるもの）
リング状の
パーツ

栓ゲージによる
径の測定

寸法はこれらの方法と
機械による検査（本ページ
下部参照）のダブルチェック
をしているんだ
ダブル
ダブル
ダブル!!

〈金属パーツ製造工程〉

6 加工

ジャ
加工後

材料となる金属の板や円柱など
を専用の機械で所定の大きさ・
形に加工する

7 表面処理

メッキ後
チャポン
チャポン
チャポン
チャポン

金属パーツの強度や耐久性など
を上げるため、表面にメッキ処
理を施す

3次元測定機による寸法検査

数時間に一度、作ったパーツのすべての長さ（30〜40カ所）の精密測定を行う。ただし、測定に時間を要するため、基本は人の手による測定が主となっている

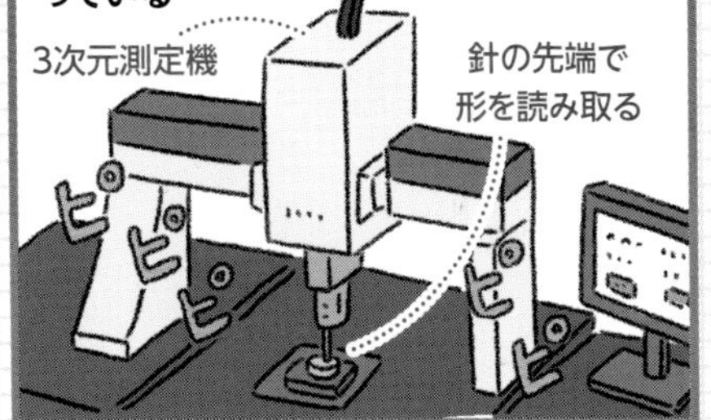
3次元測定機
針の先端で
形を読み取る
ピ
ピ
ピ
ピ
ピ

金属パーツの種類…

大きく分けて、以下の4つで、それぞれ
加工方法が異なる。例えば
①はプレス加工で②は旋盤加工※など

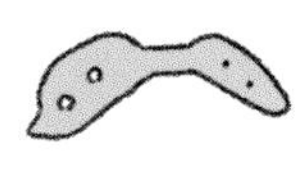

①平面パーツ

②立体パーツ
（リング状）

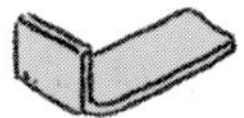

③立体パーツ
（リング状以外）

④フォーカス用パーツ

※被工作物を回転させながら加工する方法

〈プラスチックパーツ製造工程〉

成形後チェック

寸法測定だけでなく、職人による感触確認や外観のチェックが行われる

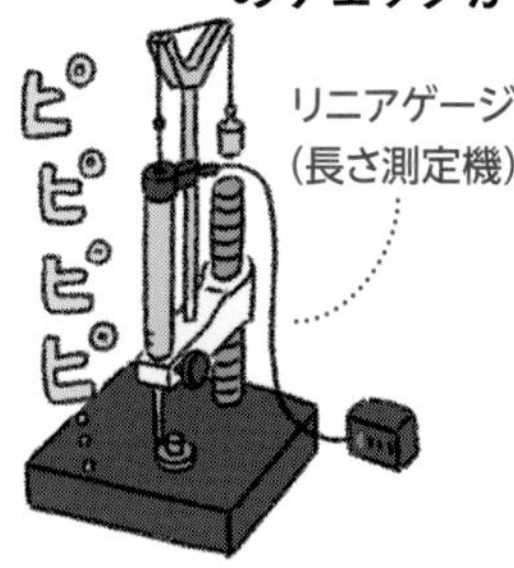
ピ
ピ
ピ
ピ
ピ
リニアゲージ
（長さ測定機）
寸法や重量の測定

くるくる
カチャ
カチャ
部品を組んだときの感覚

ジ…
SIGMA
表面状態の検査（バリ※がないかなど）

※不要なでっぱりのこと

8 成形

原料となる樹脂ペレットを加熱してとかし、金型に入れた後、冷やし固めて形を作る

9 塗装

特殊な塗料をプラスチックパーツの表面にぬり、手にフィットしやすくしたり、強度を上げたりする

真円度検査

「幾何学的に正しい円」からの誤差（真円度）を機械によって測定する

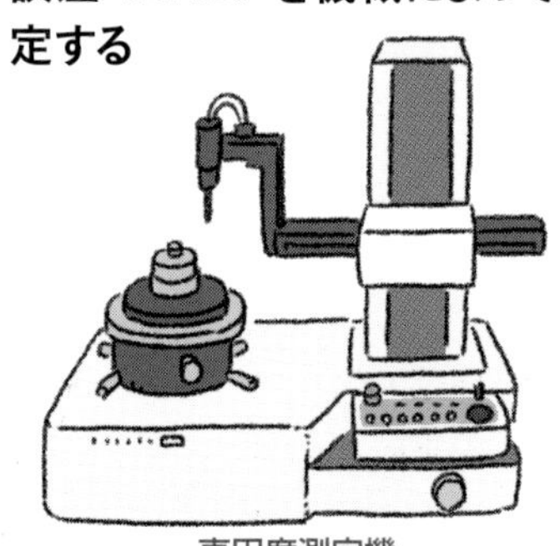
真円度測定機

金型も自社製造…

シグマでは、プラスチックパーツを作るために欠かせない金型までも、自社で設計・製造している

金型がずらりと並ぶエリアもある

性能検査

特殊な装置を用いて撮影性能（解像度や色ムラのなさなど）を調べる。また、画像内に不要なもの（ゴミ）が写ってないかなどもチェックする

カシャ
カシャ
カシャ

作動検査

電源ボタンや十字キーなどが正しく反応するか、正しく撮影ができるかなどを実際に1つ1つ作動させてチェックする

ポチ
ポチ
ポチ

〈最終工程〉
10 組立・調整・検査

11 出荷

SIGMA
カシャッ
ピピピピ
ドドドドドド

各パーツを人の手で組み立てた後、水平調整やホワイトバランスなどの調整を機械によって行う。そして最後に検査を実施して完成

出荷前検査

外観や作動性のチェックに加え、様々なモードでの撮影や、オプション（外部ストロボなど）**が正しく作動するかなどの検査も行う**

パシャ
SIGMA

撮影チェック

ストロボ

ケーブルスイッチ

外部オプションとの連動性

最後は人の手でカメラ1つ1つをじっくり検査するのさ
ていねい〜

シュイイイン
レンズ製造エリア
シュイイイン

ええ!?
これって

…全部
レンズを作る
機械…!?

そうだよ
全部で500台
くらいあるね

ご
500台
!?

シュイイイン
シュイイイン
シュイイイン

様々なレンズがあるし
作る量も多いから
これくらいの台数は
必要なんだ

シュイイイン
シュイイイン

なるほど〜
あ、こっちにはレンズが
たくさん並んでる

これは研磨が
終わったものたちさ

そもそも
シグマという会社は
レンズ専門のメーカー
だったから、レンズには
並々ならぬこだわりが
あるんだよね
SIGMA Σ LENSES
数々の
レンズたち
1970年代、海外のカメラショーで製品の案内をするシグマ創業者山木道広さん

だからもちろん
レンズの検査も
入念に行っていて
その中心になるのが…
スッ
あ!!
レンズの原器だね!!
その通り!!
レンズが正しく作れているかを
検査するためのものなんだ

こうやって
原器とレンズを
重ねれば…
カチャ
カチャ

ニュートンリングが
出現するのさ!
おー!!

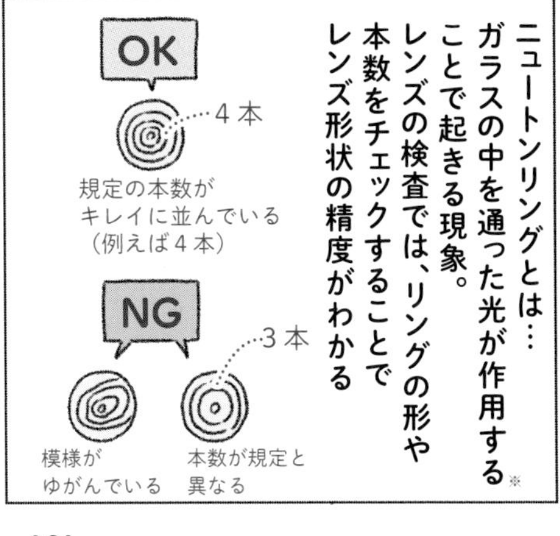
ニュートンリングとは…
ガラスの中を通った光が作用する※
ことで起きる現象。
レンズの検査では、リングの形や
本数をチェックすることで
レンズ形状の精度がわかる
OK
4本
規定の本数が
キレイに並んでいる
(例えば4本)
NG
3本
模様が
ゆがんでいる
本数が規定と
異なる

※専門用語で干渉という

規定の範囲内に
収めるためには
1万分の1㎜単位の
正確さが必要なんだ
そこまでのレベルで
検査ができる原器って
本当にすごいなぁ…
すごーい

いやー
それにしても
500台とは
なぁ…
ハハハ
びっくりした?
ん?
てく てく
てく てく

この機械は…?
あぁ…

これはカメラ用の
落下試験機さ
あ、そっか
この板のところから
落とすんだね

…って
カメラを落とす!?
さすがに壊れたり
するんじゃ…
いやいや
数回の落下では
壊れないように
作られているのさ

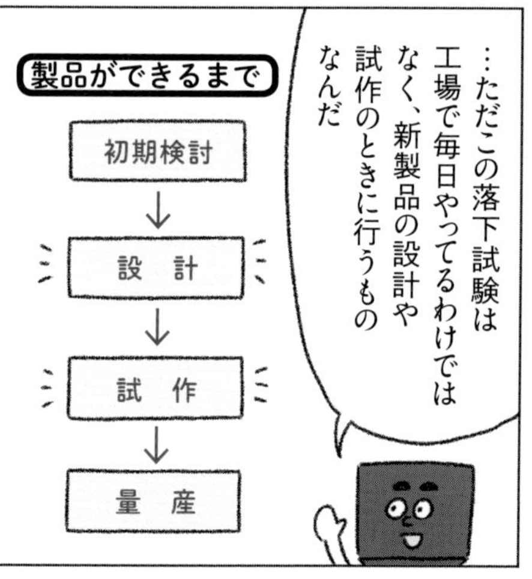
…ただこの落下試験は
工場で毎日やってるわけでは
なく、新製品の設計や
試作のときに行うもの
なんだ
製品ができるまで
初期検討
設　計
試　作
量　産

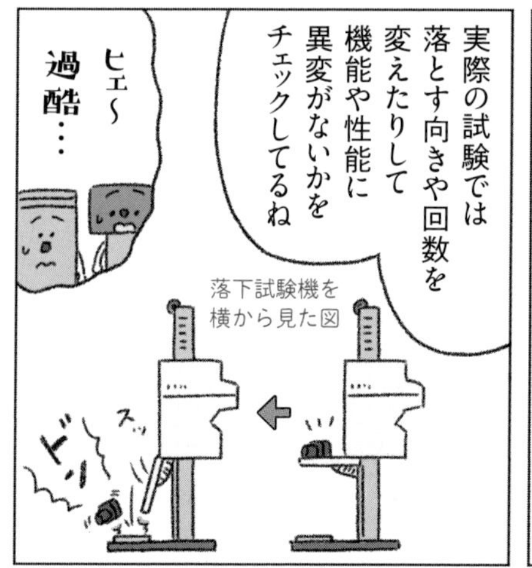
実際の試験では
落とす向きや回数を
変えたりして
機能や性能に
異変がないかを
チェックしてるね
ヒェ〜
過酷…
落下試験機を
横から見た図
スッ
ドッ

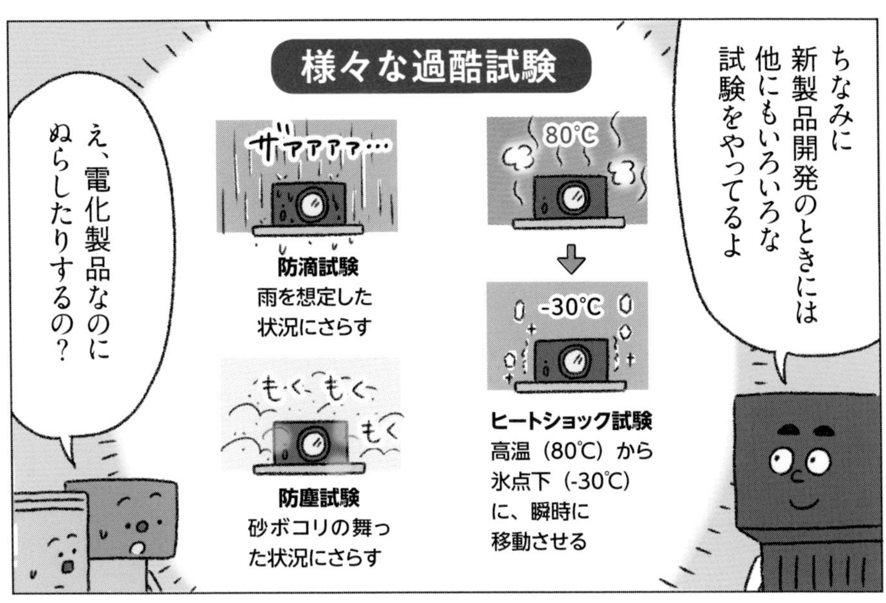
ちなみに
新製品開発のときには
他にもいろいろな
試験をやってるよ
様々な過酷試験
ザァァァァ…
防滴試験
雨を想定した
状況にさらす
80℃
-30℃
ヒートショック試験
高温（80℃）から
氷点下（-30℃）
に、瞬時に
移動させる
もくもくもく
防塵試験
砂ボコリの舞った状況にさらす
え、電化製品なのに
ぬらしたりするの？

だって、写真家が
写真を撮るのは
室内や晴れの日
だけじゃない
からさ
いくらきれいな
写真が撮れるといっても
すぐに壊れてたら
カメラとしては
ダメだよね
カメラの使用が
想定される状況
砂漠
悪天候
雪山
などなど

つまり
カメラやレンズは
精密さと、過酷な環境に
負けない強さの
両方が必要なのさ
それは君たちも
同じだろ？
フンフン
フン

…いや
ボクらは基本的に
室内用だから
顕微鏡用レンズで
よかった…
あんな過酷試験
ムリムリ
パハハ

入りきらなかったこぼれ話
開発段階では「フォーカス耐久試験」というものがあってこの機械で6万回フォーカス動作をして、問題ないことを確認するんだ
ウィン
ウィン
6万回!?

おわりに

「品質検査というテーマでいきましょう」と決まったのは、2018年の春。そこからどのような製品を取り上げるかを考え、取材をスタートさせたのが同年の秋でした。そして、本書を書き上げたのが2020年の６月ですから、トータルで２年以上かかったことになります。いや～長かった。うえたに夫婦の書籍の中で、一番時間をかけた本となりました。

● ● ●

そもそも、製品の「検査項目」や「製造工程」というのは、その会社がこれまでに試行錯誤して築き上げてきた技術や知恵の結晶であり、簡単にオープンにできるものではありません。ですが「この本を通して、日本のものづくりのすごさ・品質の高さを、多くの人たちに伝えたい」という想いを伝えたところ、６つの企業と造幣局の方々にご賛同をいただくことができました。それぞれの広報部・品質検査部・製造現場の方々には、取材時の対応やマンガ・イラストのチェックなど、多くのお時間とご協力をいただきました。みなさまなくして本書の完成はありえませんでした。本当にありがとうございました。

● ● ●

この本は、幅広い世代の方が楽しめるように作りました。小中高生には、この本を通して身のまわりのものがどんなふうに作られているのかなど、ものづくりに興味を持ってもらえると嬉しいです。また、専門的な内容も多く盛り込んでいるので、大人が読んでも楽しめます。もっと言えば、現在ものづくりに携わっている方が読んでも「この業界ではこんな検査をしているのか」といった発見があると思います。私自身、もともと化粧品メーカーで研究開発をしていたので、ある程度それぞれの製品の検査を想像できているつもりでしたが、いざ取材をはじめてみると想像を超えたものばかりで、驚きの連続でした。

この「おわりに」を書いている2020年６月現在、新型コロナウイルス感染拡大防止のため、工場見学が休止になっているところもあります。本書を読むことで、ほんの少し工場見学に行った気持ちになれる(?)かもしれません。

● ● ●

最後になりますが、取材をさせていただいたみなさま、デザインを担当していただいた本澤さん、そして担当編集の佐口さん、おかげさまで想像以上におもしろい本になりました。一見するとマニアックな「品質検査」というテーマでしたが、「やりましょう！」と言ってもらえてよかったです。担当が佐口さんでなかったら実現しなかったと思います。本当にありがとうございました。

うえたに夫婦

※掲載している情報は、2020年6月現在のものです。

P.074 ▶ソファ

カリモク家具株式会社

住所 愛知県知多郡東浦町大字藤江字皆栄町108番地
Web https://www.karimoku.co.jp/
総張工場
住所 愛知県知多郡東浦町大字緒川字申新田弐区40番地3

東浦カリモク株式会社

住所 愛知県知多郡東浦町大字藤江字南栄町1-14

知多カリモク株式会社

住所 愛知県知多郡東浦町大字藤江字南栄町1-15

P.088 ▶日やけ止め

株式会社資生堂

大阪工場
住所 大阪府大阪市東淀川区小松2-17-45
久喜工場
住所 埼玉県久喜市清久町5
Web https://corp.shiseido.com/jp/careers/japan/job/factory01.html

P.098 ▶口紅

株式会社資生堂

掛川工場
住所 静岡県掛川市長谷1120
Web https://corp.shiseido.com/jp/careers/japan/job/factory02.html

P.110 ▶デジタルカメラ

株式会社シグマ

住所 神奈川県川崎市麻生区栗木2-4-16
Web https://www.sigma-global.com/jp/
(取材は会津工場にて)

資料提供・協力

- アサヒグループホールディングス株式会社
- 株式会社資生堂
- シヤチハタ株式会社
- 株式会社シグマ
- 北星鉛筆株式会社
- 独立行政法人造幣局
- カリモク家具株式会社

ご協力いただき
ありがとうございました〜

取材協力企業・団体　一覧

P.008　▶鉛筆

北星鉛筆株式会社
住所　東京都葛飾区四つ木 1-23-11
Web　http://www.kitaboshi.co.jp/

P.020　▶お金(硬貨)

独立行政法人造幣局
広島支局
住所　広島県広島市佐伯区五日市中央6-3-1
Web　https://www.mint.go.jp/enjoy/plant/plant-hiroshima/plant_visit_hiroshima.html

P.032　▶缶ビール

アサヒビール株式会社
茨城工場
住所　茨城県守谷市緑一丁目1-1
Web　https://www.asahibeer.co.jp/brewery/ibaraki/

P.042　▶カルピス

アサヒ飲料株式会社
群馬工場
住所　群馬県館林市大新田町166
Web　https://www.asahiinryo.co.jp/company/factory/gunma/index.html

P.050　▶炭酸飲料

アサヒ飲料株式会社
明石工場
住所　兵庫県明石市二見町南二見1-33
Web　https://www.asahiinryo.co.jp/company/factory/akashi/

P.062　▶ネーム印

シヤチハタ株式会社
稲沢工場
住所　愛知県稲沢市子生和神明町37
Web　https://www.shachihata.co.jp/

うえたに夫婦

Uetanihuhu

奈良県出身・神奈川県在住。化粧品メーカー資生堂の元研究員の夫と理系ではない妻の夫婦で活動しているユニット。オリジナルキャラクター「ビーカーくんとそのなかまたち」のグッズ制作・販売をはじめ、最近では理系の知識を活かして「理系イラストレーター」としても活動中。主な著書に『ビーカーくんとそのなかまたち』『ビーカーくんのゆかいな化学実験』『ビーカーくんとすごい先輩たち』（以上、誠文堂新光社）、『ザ☆単位のマンガ』『マンガと図鑑でおもしろい！わかる元素の本』（以上、大和書房）、『ビーカーくんと放課後の理科室』（仮説社）、『ピカピカヒーローせっけんくん』（PHP研究所）などがある。
twitter で随時情報更新中 @uetanihuhu

デザイン：本澤博子

レンズくんと行く工場ツアー
すごい！ 品質検査

2020年 7 月30日　第 1 版第 1 刷発行

著　者　うえたに夫婦
発行者　清水卓智
発行所　株式会社ＰＨＰエディターズ・グループ
〒135-0061　江東区豊洲5-6-52
☎ 03-6204-2931
http://www.peg.co.jp/
発売元　株式会社ＰＨＰ研究所
東京本部　〒135-8137　江東区豊洲5-6-52
普及部　☎ 03-3520-9630
京都本部　〒601-8411　京都市南区西九条北ノ内町11
PHP INTERFACE　https://www.php.co.jp/
印刷所・製本所　凸版印刷株式会社

ISBN978-4-569-84730-6